Franny & Zooey

Franny & Zooey

J. D. Salinger

tradução
Caetano W. Galindo

todavia

Na medida do possível, no espírito de Matthew Salinger, com um ano de idade, incitando um amigo na hora do almoço a aceitar um feijão-manteiga frio, peço a meu editor, mentor e (pobrezinho) melhor amigo, William Shawn, *genius domus* da revista *The New Yorker*, amante dos riscos com baixa probabilidade de êxito, protetor dos não prolíficos, defensor dos irrecuperavelmente extravagantes, o mais imerecidamente humilde dos grandes editores artistas natos, que aceite este livrinho de aparência bem acanhada.

Franny

Embora o sol brilhasse forte, a manhã de sábado foi mais uma vez de clima de sobretudo, clima não só de casaco, como tinha sido a semana toda e como todo mundo esperou que ficasse para o grande fim de semana — o fim de semana do jogo de Yale. Dos vinte e poucos rapazes que estavam na estação esperando que suas namoradas chegassem no trem das dez e cinquenta e dois, não mais que seis ou sete estavam no frio da plataforma aberta. O resto estava por ali, em grupinhos fumarentos e sem chapéu compostos de duas, três e quatro pessoas, dentro da sala de espera aquecida, conversando em vozes que, quase sem exceção, soavam universitariamente dogmáticas, como se cada rapaz, em sua estridente participação na conversa, estivesse resolvendo de uma vez por todas alguma questão tremendamente controversa, algo em que o mundo exterior e não matriculado vinha metendo os pés pelas mãos, de maneira provocativa ou não, por séculos.

Lane Coutell, com uma capa de chuva Burberry que aparentemente tinha um forro de lã removível, era um dos seis ou sete rapazes lá na plataforma aberta. Ou, na verdade, ele era e não era um deles. Fazia dez minutos ou mais que vinha deliberadamente se mantendo logo além do alcance das vozes dos outros, com as costas contra a estante de folhetos grátis da Ciência Cristã, mãos sem luvas nos bolsos do casaco. Estava usando um cachecol bordô de caxemira que tinha lhe subido pelo pescoço e não dava proteção contra o frio. Abrupta e algo distraidamente, tirou a mão direita do bolso do casaco e começou a ajeitar o cachecol, mas antes de conseguir ajeitar, ele mudou de ideia e meteu a mesma mão no casaco para pegar uma carta do bolso interno do paletó. Começou a ler imediatamente, com a boca não exatamente fechada.

A carta estava escrita — datilografada — num papel de recados azul-claro. Tinha a aparência de algo manuseado, envelhecido, como se já tivesse sido tirada do envelope e lida várias vezes:

Quinta, acho eu

CARÍSSIMO LANE,

Não tenho ideia se você vai conseguir decifrar isso aqui porque o barulho no dormitório está absolutamente inacreditável hoje de noite e eu mal consigo ouvir os meus próprios pensamentos. Então se eu escrever alguma palavra errado por favor tenha a bondade de desconsiderar. Aliás, eu aceitei o seu conselho e tenho recorrido bastante ao dicionário, então se isso der uma endurecida no meu estilo a culpa é sua. Enfim, acabei de receber a sua carta tão linda e te amo demais, tanto mesmo etc., e mal posso esperar o fim de semana. Pena não conseguir me pegar em Croft House, mas eu na verdade nem me incomodo e posso ficar em qualquer lugar desde que seja quentinho e não tenha bicho e eu te veja de vez em quando, i.e., o tempo todo. Eu ando louca por i.e. Eu absolutamente adorei a sua carta, especialmente a parte sobre Eliot. Acho que estou começando a desprezar todos os poetas fora Safo. Estou lendo Safo feito louca, e nada de comentários vulgares, por favor. Pode até ser que eu faça o meu negócio aqui de fim de semestre sobre ela se decidir mesmo escrever uma monografia e se conseguir fazer o imbecil que me deram de orientador aqui aceitar a ideia. "Morre Adônis gentil, como seguir, ó Citereia? podem todas pungir, podem puir pálios e peças."

Não é *maravilhoso*? E ela não para de fazer *bem* isso. Você me ama? Você não disse uma única vez naquela sua carta horrorosa. Eu te odeio quando você fica sendo tão homem e retiscente (ort.?). Não que eu te *odeie* de verdade mas eu sou constitucionalmente contra homens fortes e calados. Não que você não seja forte, mas você sabe do que eu estou falando. Está ficando tão barulhento aqui que eu mal consigo ouvir os meus próprios pensamentos. Enfim, te amo e quero colocar esta cartinha na entrega especial para você poder receber bem antes se der para encontrar um selo neste hospício. Te amo te amo te amo. E você sabe que eu só dancei *duas vezes* com você em onze meses? Sem contar aquela vez no Vanguard porque você estava tão bêbado. Eu provavelmente vou estar uma pilha de nervos. Aliás, eu te mato se tiver fila de cumprimentos nesse negócio. Até sábado, minha flor!

       Com todo o meu amor,
           Franny
          XXXXXXXX
          XXXXXXXX

 P.S.: O papai pegou as radiografias no hospital e ficou todo mundo bem aliviado. É um tumor mesmo mas não é malicno. Falei com a mãe ontem de noite por telefone. Aliás, ela te mandou um beijo, então *relaxe* sobre a coisa de sexta à noite. Acho que eles nem ouviram a gente chegar.

 P.P.S.: Eu fico parecendo tão burrinha e tapada quando te escrevo. Por quê? Você tem minha permissão para analisar o fato. Vamos só tentar ter um fim de semana maravilhoso. Assim, vamos não tentar analisar tudo até o osso para variar, se for possível, especialmente eu. Te amo.

        FRANCES (sua assinatura)

Lane estava mais ou menos na metade dessa nova leitura da carta quando foi interrompido — invadido, atropelado — por um rapaz entroncado chamado Ray Sorenson, que queria saber se Lane sabia qual era a desse filho da puta do Rilke. Lane e Sorenson frequentavam juntos a disciplina Literatura Europeia Moderna 251 (aberta apenas para veteranos e pós-graduandos) e tinham que ler a quarta das "Elegias de Duíno" de Rilke para segunda-feira. Lane, que conhecia Sorenson só de passagem mas tinha uma vaga aversão categórica à cara e aos modos dele, guardou a carta e disse que não sabia mas achava que tinha entendido quase tudo. "Sorte sua", Sorenson disse. "Você é um felizardo." Sua voz se propagava com um mínimo de vitalidade, como se ele tivesse ido falar com Lane movido por tédio ou inquietude, não por qualquer tipo de intercurso humano. "Jesus, como está frio", ele disse, e tirou um maço de cigarros do bolso. Lane percebeu uma marca desbotada mas ainda chamativa de batom na lapela do casaco de lã de camelo de Sorenson. Parecia que estava ali havia semanas, talvez meses, mas ele não conhecia Sorenson assim tão bem a ponto de mencionar e, a bem da verdade, aquilo não lhe importava nem um pouco. Além disso, o trem estava chegando. Os dois rapazes como que viraram o rosto metade para a esquerda para ver a locomotiva que se aproximava. Quase ao mesmo tempo, a porta da sala de espera se abriu de supetão, e os rapazes que estavam se aquecendo começaram a sair para receber o trem, quase todos dando a impressão de ter ao menos três cigarros acesos em cada mão.

O próprio Lane acendeu um cigarro quando o trem ia encostando. Então, como tantas pessoas que, talvez, merecessem receber somente uma autorização muito provisória para a recepção de trens, tentou esvaziar o rosto de qualquer expressão que pudesse de modo muito simples, quem sabe até lindo, revelar o que sentia pela pessoa que chegava.

Franny estava entre as primeiras meninas a descer do trem, de um vagão lá na ponta norte da plataforma. Lane a encontrou imediatamente, e apesar do que estivesse tentando fazer com o rosto, seu braço que disparou para o alto era toda a verdade. Franny viu o braço, e ele, e acenou exageradamente. Estava usando um casaco de pele de guaxinim, e Lane, indo até ela com passos rápidos mas rosto lento, pensou, com empolgação contida, que era a única pessoa ali na plataforma que *conhecia* de verdade o casaco de Franny. Lembrou que uma vez, num carro emprestado, depois de ficar coisa de meia hora beijando Franny, tinha beijado a lapela do seu casaco, como se fosse uma extensão orgânica e absolutamente desejável dela própria.

"Lane!", Franny o cumprimentou alegre — e ela não era de esvaziar o rosto de expressões. Ela se abraçou a ele e lhe deu um beijo. Era um beijo de plataforma de estação — bem espontâneo para começar, mas um tanto inibido na sequência, e com algo de uma trombada de testas. "Você recebeu minha carta?", ela perguntou, e acrescentou, quase sem parar para respirar, "Você está com cara de quem quase congelou, coitadinho. Por que não ficou esperando lá dentro? Você recebeu minha carta?"

"Que carta?", Lane disse, pegando a mala dela. Era azul-marinho com frisos brancos, como meia dúzia de outras malas que tinham acabado de ser retiradas do trem.

"Você não *recebeu*? Eu pus no correio *quarta-feira*. Ah, meu Deus! Eu até levei direto na agência —"

"Ah, essa carta. Recebi sim. Você só trouxe isso de bagagem? Que livro é esse?"

O olhar de Franny desceu à sua mão esquerda. Nela, trazia um livrinho verde-ervilha, com capa coberta de tecido. "Esse aqui? Ah, nada", ela disse. Abriu a bolsa, meteu o livro lá dentro e foi atrás de Lane pela plataforma, rumo ao ponto de táxi. Passou um braço em volta dele, e falou praticamente ou totalmente sozinha no caminho. Primeiro foi alguma coisa a respeito de um vestido que tinha trazido e precisava passar. Ela disse que tinha comprado um ferrinho bem fofo que parecia uma coisa de casa de bonecas mas tinha esquecido de trazer. Disse que achava que não conhecia mais que três meninas no trem — Martha Farrar, Tippie Tibbett e Eleanor não sei das quantas, que tinha conhecido anos antes, nos tempos da escola interna, em Exeter ou algum outro lugar. O resto das pessoas do trem, Franny disse, parecia muito Universidade Smith, fora duas figuras absolutamente Vassar e uma figura abso*luta*mente Bennington ou Sarah Lawrence. A figura Bennington-Sarah Lawrence parecia com alguém que passou a viagem toda no banheiro, esculpindo ou pintando ou sabe-se lá o quê, ou alguém que tinha uma malha de dançarina por baixo do vestido. Lane, andando um tanto rápido demais, disse que lamentava não ter conseguido um lugar para ela na Croft House — claro que era uma chance em um milhão —, mas que tinha conseguido uma vaga num lugar bem bacana e acolhedor. Pequeno, mas limpinho e tudo mais. Ela ia gostar, ele disse, e Franny imediatamente visualizou uma casa de cômodos feita de tábuas brancas. Três meninas que não se conheciam no mesmo quarto. Quem chegasse primeiro ficava com o sofá-cama calombudo, e as outras duas iam dividir uma cama de casal com um colchão absolutamente fantástico. "Lindo", ela disse entusiasmada. Às vezes era um inferno ocultar a impaciência que sentia em relação à generalizada incapacidade dos machos de sua espécie, e à de Lane em especial. Isso a lembrava de uma noite de chuva em Nova York, logo depois do teatro, quando Lane, com um suspeito excesso de caridade de calçada, deixou aquele sujeitinho horroroso de smoking tirar o táxi dele. Ela não tinha dado grande importância àquilo — assim, *Jesus*, seria pavoroso ter que ser homem e conseguir um táxi num dia de chuva —, mas lembrava do olhar totalmente horroroso e hostil que Lane lhe dirigiu quando retornou à calçada. Agora, com uma estranha sensação de culpa enquanto pensava nessa e em outras coisas, deu um apertozinho especial de pretenso afeto no braço de Lane. Os dois entraram num táxi. A mala azul-marinho com os frisos brancos foi na frente com o chofer.

"A gente larga a sua mala lá onde você vai ficar — só joga lá dentro mesmo — e aí a gente almoça", Lane disse. "Eu estou morrendo de fome." Ele se inclinou e deu um endereço para o chofer.

"Ah, que delícia te ver!", Franny disse quando o táxi partiu. "Eu estava com *saudade*." Assim que as palavras saíram ela percebeu que aquilo não era verdade. De novo sentindo culpa, pegou a mão de Lane e entrelaçou, com força, com calor, seus dedos nos dele.

Cerca de meia hora depois, os dois estavam sentados numa mesa comparativamente isolada de um restaurante chamado Sickler's, no centro da cidade, um lugar muito prestigiado, especialmente pelo grupinho mais intelectual dos alunos da universidade — os mesmos alunos, basicamente, que caso estivessem em Yale ou Harvard poderiam afastar suas namoradas do Mory's ou do Cronin's com um ar algo exagerado de quem não quer nada. O Sickler's, pode-se dizer, era o único restaurante da cidade em que os filés não eram "*dessa* grossura" — polegar e indicador separados por mais de dois centímetros. O Sickler's era escargô. O Sickler's era onde tanto o aluno quanto sua namorada pediam salada ou, normalmente, nenhum dos dois pedia, por causa do molho com alho. Franny e Lane iam ambos tomar martínis. Quando as bebidas tinham chegado, dez ou quinze minutos antes, Lane provou a sua, então se recostou e deu uma breve espiada pelo salão com uma quase palpável sensação de bem-estar por se encontrar (ele provavelmente tinha certeza de que ninguém contestaria isso) no lugar certo com uma menina que inquestionavelmente tinha a aparência certa — uma menina que era não apenas extraordinariamente bonita mas, tanto melhor, não tão categoricamente blusa-de-caxemira e saia-de-flanela. Franny percebeu essa momentânea exposição, e lhe deu o peso que tinha, nem mais nem menos. Mas devido a um antigo e ainda válido acordo que tinha com sua psique, decidiu sentir culpa por ter percebido, por ter notado, e se condenou a ficar ouvindo o que Lane disse depois desse momento com uma simulação especial de atenção.

Lane agora falava como alguém que vem monopolizando a conversa há uns bons quinze minutos mais ou menos e acredita que está num embalo em que sua voz já é absolutamente incapaz de errar. "Assim, em termos bem diretos", ele estava dizendo, "o que dá pra dizer é que ele não tem certa testicularidade. Sabe como?" Ele estava retoricamente debruçado na mesa, de frente para Franny, sua receptiva plateia, apoiado com um antebraço de cada lado do martíni.

"Não tem o quê?", Franny disse. Ela teve que limpar a garganta antes de falar, de tanto tempo que estava em silêncio.

Lane hesitou. "Masculinidade", ele disse.

"Eu ouvi da primeira vez."

"Enfim, era esse o tema da coisa toda, digamos assim — o que eu estava tentando destacar de uma maneira bem sutil", Lane disse, seguindo bem de perto o fio de sua própria fala. "Assim, *meu Deus*. Sinceramente, eu achava que aquilo era um barco furado, e quando ele me devolveu com a porcaria daquele A escrito quase do tamanho da página inteira, juro que eu quase caio mortinho."

Franny novamente limpou a garganta. Aparentemente sua autoimposta sentença de ser uma irretocável boa ouvinte já tinha sido plenamente cumprida. "Por quê?", perguntou.

Lane pareceu vagamente interrompido. "Por que o quê?"

"Por que você achou que era um barco furado?"

"Eu acabei de te dizer. Eu acabei de contar pra você. Esse Brughman é todo flaubertiano. Ou pelo menos eu achava que ele era."

"Ah", Franny disse. Ela sorriu. Tomou um gole do martíni. "Que maravilha", disse, olhando para o copo. "Que bom que não está naquelas proporções vinte pra um. Eu odeio quando eles são absolutamente gim puro."

Lane fez que sim. "Enfim, acho que a porcaria do trabalho está lá no meu quarto. Se a gente tiver uma chance, no fim de semana eu leio pra você."

"Maravilha. Eu ia adorar ouvir."

Lane fez que sim de novo. "Assim, eu nem disse nada assim de mudar o mundo e tal." Ele mudou de posição na cadeira. "Mas — sei lá — acho que a ênfase que eu dei ao *porquê* dele sentir tanta atração pelo *mot juste* não foi pouca coisa. Assim, à luz do que a gente sabe hoje. Não só psicanálise e essa merda toda, mas certamente, em certa medida. Você sabe como. Eu não sou freudiano nem nada, mas certas coisas não dá pra você simplesmente desconsiderar como Freudianas com F maiúsculo e deixar por isso mesmo. Assim, em certa medida eu acho que tive motivos pra apontar que nenhum dos carinhas bons de verdade — Tolstói, Dostoiévski, *Shakes*peare, meu Deus — era desses de ficar espremendo cada porcaria de palavra. Eles simplesmente *escreviam*. Sabe como?" Lane olhou para Franny com certa expectativa. Teve a impressão de que ela estava ouvindo com uma atenção mais que especial.

"Você vai comer a sua azeitona ou não?"

Lane olhou de relance para o copo do seu martíni, e então de novo para Franny. "Não", ele disse com frieza. "Você quer?"

"Se você não quiser", Franny disse. Ela percebeu pela expressão de Lane que tinha feito a pergunta errada. Pior ainda, de uma hora para outra ela nem queria a azeitona e ficou pensando por que tinha *pedido*. Mas não havia mais o que fazer, quando Lane lhe estendeu o copo do martíni, além de aceitar a azeitona e consumi-la com aparente prazer. Então pegou um cigarro do maço de Lane, que estava na mesa, e ele o acendeu para ela, e outro para si próprio.

Depois da interrupção da azeitona, um breve silêncio tomou a mesa. Quando Lane o quebrou, foi porque não era desses que conseguem ficar guardando o fim de uma história por muito tempo. "Esse Brughman acha que eu devia publicar a porcaria do trabalho por aí", disse abruptamente. "Mas eu não sei." Então, como se de repente tivesse ficado exausto — ou melhor, exaurido pelas exigências que lhe eram feitas por um mundo sequioso pelos frutos de seu intelecto —, ele começou a massagear a lateral do rosto com a palma da mão, retirando, com inconsciente rudeza, uma remela de um dos olhos. "Assim, tem artigos críticos a dar com o pau sobre Flaubert e esse pessoal todo por aí." Ele refletiu, parecendo um pouco taciturno. "A bem da verdade, acho que ninguém escreveu nada mais inci*si*vo sobre ele no último —"

"Você está falando igual a um substituto. Mas igualzinho."

"Como é que é?", Lane disse com medida tranquilidade.

"Você está falando igualzinho a um substituto. Desculpa, mas está. Está mesmo."

"Estou, é? E como é que fala um substituto, então?"

Franny viu que ele estava irritado, e em que grau, mas, por enquanto, com porções iguais de autorreprovação e maldade, ela estava com vontade de dizer o que pensava. "Bom, não sei como é que eles são por aqui, mas lá de onde *eu* venho, um substituto é uma pessoa que assume uma classe quando o professor não está ou está ocupado tendo um colapso nervoso ou está no dentista ou sei lá o quê. Normalmente é um aluno de pós-graduação ou sei lá o quê. Enfim, se é uma disciplina de literatura russa, digamos, ele entra e, com a sua camisa abotoadinha e uma gravata listrada, começa a destruir Turguêniev por meia hora. Aí, depois que ele acabou, quando *demoliu* completamente o Turguêniev pra você, ele começa a falar de Stendhal ou sei lá mais quem foi tema do mestrado dele. Lá na minha universidade, o Departamento de Inglês tem uns dez substitutos que ficam por ali estragando as coisas pros outros, e eles são todos tão brilhantes que mal conseguem abrir a boca — com o perdão da contradição. Assim, se você começa a discutir alguma coisa com eles, eles só fazem é ficar com uma cara pra lá de *bondosa* e —"

"Alguma porcaria de um bicho te mordeu hoje — sabia? Que diabo você tem hoje, afinal?"

Franny rapidamente bateu a cinza do cigarro, então trouxe o cinzeiro para um centímetro mais perto do seu lado da mesa. "Desculpa. Eu sou horrorosa", ela disse. "É só que eu estou tão *destrutiva* essa semana. É um horror. Eu sou péssima."

"A sua carta não parecia tão destrutiva."

Franny fez solenemente que sim. Estava olhando para uma manchinha quente de sol, mais ou menos do tamanho de uma ficha de pôquer, na toalha da mesa. "Eu fiz força pra escrever aquela carta", ela disse.

Lane começou a fazer algum comentário, mas o garçom de repente estava ali para levar os copos vazios de martíni. "Quer mais um?", Lane perguntou a Franny.

Ele não teve uma resposta. Franny estava encarando a manchinha de sol com uma intensidade especial, como se estivesse considerando a ideia de se deitar ali.

"Franny", Lane disse paciente, por consideração ao garçom. "Você quer outro martíni ou não?"

Ela ergueu os olhos. "Desculpa." Olhou para os copos vazios, retirados, na mão do garçom. "Não. Sim. Sei lá."

Lane soltou uma risada, olhando para o garçom. "Decidiu?", ele disse.

"Sim, por favor." Ela parecia mais desperta.

O garçom se foi. Lane esperou que ele saísse do salão, então olhou de novo para Franny. Ela estava dando forma à cinza do cigarro na lateral do cinzeiro novinho que o garçom tinha trazido, com a boca não exatamente fechada. Lane ficou um momento olhando para ela com irritação crescente. É bem provável que se sentisse incomodado e amedrontado por qualquer sinal de desinteresse da parte da menina com quem tinha um namoro sério. De qualquer maneira, ele certamente se preocupava com a possibilidade de que o bicho que tinha mordido Franny pudesse azedar o fim de semana todo. Ele de repente se inclinou para a frente, pondo os braços sobre a mesa, como que para passar a limpo aquilo tudo, meu Deus, mas Franny se manifestou antes dele. "Eu estou uma droga hoje", ela disse. "Eu simplesmente não estou legal hoje." Ela se viu olhando para Lane como se ele fosse um desconhecido, ou um cartaz de publicidade de uma marca de linóleo, do outro lado do corredor de um vagão de metrô. De novo sentiu o gotejar da deslealdade e da culpa, que pareciam dar o tom daquele dia, e reagiu pondo a mão sobre a de Lane. Retirou a mão quase imediatamente e a usou para tirar o cigarro do cinzeiro. "Já, já eu saio dessa", ela disse. "Eu absolutamente juro que saio." Sorriu para Lane — de certa forma, autenticamente — e naquele momento um sorriso em resposta ao seu podia ao menos ter mitigado em certa pequena medida os eventos que estavam por vir, mas Lane estava ocupado com a impostação de um tipo todo seu de desinteresse, e preferiu não responder ao sorriso. Franny deu uma tragada no cigarro. "Se não fosse tão tarde e tal", ela disse, "e se eu não tivesse sido tonta de decidir escrever *monografia* e tudo, acho que eu ia largar letras. Sei lá." Bateu a cinza. "É só que eu estou tão cansada de gente pedante e contestadora que me dá vontade de gritar." Ela olhou para Lane. "Desculpa. Eu vou parar. Palavra de honra... É só que se eu tivesse coragem e tal, eu nem ia ter voltado pra universidade esse ano. Sei lá. Assim, é tudo uma farsa incrível."

"Brilhante. Essa foi brilhante mesmo."

Franny aceitou o sarcasmo que lhe era devido. "Desculpa", ela disse.

"Pare de pedir desculpas — pode ser? Não sei se te ocorreu a ideia de que você está fazendo uma *puta* generalização completa. Se todo mundo do Departamento de Inglês fosse tão contestador assim, a coisa toda ia ser muito —"

Franny o interrompeu, mas de maneira quase inaudível. Estava olhando por sobre seu ombro de flanela cinza-escuro, na direção de alguma abstração do outro lado do salão.

"O que foi?", Lane perguntou.

"Eu disse que eu sei. Você está certo. Eu só não estou legal, só isso. Não preste atenção em mim."

Mas Lane não conseguia abandonar uma controvérsia enquanto ela não estivesse resolvida a seu favor. "Assim, porra", ele disse. "Tem gente incompetente em tudo quanto é profissão. Assim, isso é básico. Vamos esquecer um minuto a porcaria dos substitutos." Olhou para Franny. "Você está me ouvindo ou não?"

"Estou."

"Você tem dois dos melhores caras do país inteiro na porcaria do seu Departamento de Inglês. Manlius. Esposito. Jesus, eu queria esses caras *aqui*. Pelo menos eles são poetas, meu Deus."

"Não são", Franny disse. "Em parte é isso que é tão horroroso. Assim, eles não são poetas *de verdade*. Eles são só umas pessoas que escrevem poemas que são publicados e selecionados pra antologias em tudo quanto é lugar, mas eles não são *poetas*." Ela parou, constrangida, e apagou o cigarro. Já fazia vários minutos que parecia que ela vinha empalidecendo. De repente, até seu batom pareceu um ou dois tons mais claro, como se ela tivesse acabado de passar um lenço de papel na boca. "Vamos deixar isso de lado", disse, quase inerte, esmagando o toco do cigarro no cinzeiro. "Eu estou toda errada. Eu só vou acabar com o fim de semana inteiro. Vai ver tem um alçapão aqui embaixo da cadeira, aí eu posso desaparecer."

O garçom apareceu muito brevemente, e deixou um segundo martíni diante de cada um deles. Lane pôs os dedos — que eram finos e longos, e normalmente não ficavam muito escondidos — em volta do pé da taça. "Você não está aca*bando* com nada", ele disse tranquilo. "Eu só estou interessado em descobrir que porcaria está acontecendo. Assim, você tem que ser uma figura toda boêmia, ou estar *morto*, pelo amor de Deus, pra ser um *poeta de verdade*? O que é que você quer — algum filho da puta com uma cabeleira cacheada?"

"Não. Não dá pra gente deixar isso de lado? Por favor. Eu estou me sentindo um horror, e estou ficando toda —"

"Eu ia adorar cortar essa conversa — ia ser um prazer imenso. Mas primeiro só me diga o que é um *poeta de verdade*, pode ser? Eu ia gostar. De verdade."

Havia um leve brilho de suor no alto da testa de Franny. Podia apenas significar que o salão estava quente, ou que algo tinha lhe feito mal, ou que os martínis eram fortes demais; de qualquer maneira, Lane pareceu não perceber.

"Eu não *sei* o que é um poeta de verdade. Eu queria que você *parasse* com isso, Lane. Sério. Eu estou me sentindo bem esquisita, estranha, e não estou conseguindo —"

"Tudo bem, tudo bem — está certo. Relaxa", Lane disse. "Eu só estava tentando —"

"Mas de uma coisa eu sei", Franny disse. "Se você é poeta, você faz alguma coisa linda. Assim, era pra você *deixar* alguma coisa linda quando abandona a página e tal. Esses sujeitos de que você está falando não deixam nada, nadinha lindo. A única coisa que de repente os que são um pouquinho melhores fazem, é meio que entrar na sua cabeça e deixar al*guma* coisa lá dentro, mas só porque eles *deixam*, só porque eles sabem deixar al*guma* coisa, essa coisa não precisa ser um *poema*, meu Deus do céu. Podem ser só uns *excrementos* sintaticosos superfascinantes — com o perdão da má palavra. Que nem o Manlius e o Esposito e esses outros coitados."

Lane não teve pressa para acender um cigarro antes de dizer alguma coisa. Então: "Eu achava que você gostava do Manlius. A bem da verdade, coisa de um mês atrás, se não estou enganado, você disse que ele era um que*ri*do, e que você —".

"Eu gosto dele, sim. Eu estou cansada de só gostar das pessoas. Deus sabe que eu queria era poder conhecer alguém que eu pudesse respeitar... Me dá licença um minuto?" Franny de repente estava de pé, com a bolsa na mão. Estava muito pálida.

Lane levantou, empurrando sua cadeira, boca entreaberta. "O que foi?", ele perguntou. "Você está legal? Alguma coisa errada ou —"

"Eu volto num segundinho."

Ela saiu do salão sem pedir informações, como se soubesse já de almoços anteriores no Sickler's aonde devia ir.

Lane, sozinho à mesa, ficou fumando e tomando golinhos conservadores de seu martíni para que ele durasse até a volta de Franny. Estava claro que a noção de bem-estar que tinha sentido, meia hora antes, por estar no lugar certo com a menina certa, ou de aparência certa, já não existia. Ele deu uma olhada para o casaco de guaxinim tosado, que estava largado meio torto no encosto da cadeira vazia de Franny — o mesmo casaco que o havia excitado na estação, em virtude da singular familiaridade que tinha com ele —, e agora o examinou com um desamor quase irrestrito. As rugas no forro de seda, por algum motivo, pareceram irritá-lo. Parou de olhar para o casaco e ficou encarando o pé da taça de seu martíni, com uma expressão vaga e preocupada, de alguém injustamente atacado por alguma conspiração. Uma coisa era certa. O fim de semana estava começando de um jeito para lá de estranho. Mas naquele momento ele por acaso ergueu os olhos da mesa e viu alguém que conhecia logo do outro lado do salão — um colega de classe, com a namorada. Lane sentou um pouco mais ereto na cadeira e reconfigurou sua expressão, que de total apreensão se converteu na de um homem cuja namorada foi meramente ao banheiro, deixando-o, como as namoradas costumam fazer, sem muito que fazer no meio-tempo a não ser fumar e fazer cara de entediado, de preferência entediado de um modo atraente.

O banheiro feminino do Sickler's era quase do mesmo tamanho que o próprio salão e, num sentido muito especial, parecia ser bem pouco menos acolhedor. Não tinha atendente, e parecia não ter outras ocupantes quando Franny entrou. Ela ficou parada um momento — mais ou menos como se estivesse em algum tipo de ponto de encontro — no meio do piso de lajotas. Sua testa agora tinha gotas de suor, sua boca estava frouxa, e ela estava ainda mais pálida do que quando saíra do salão.

Abruptamente, então, e muito rápido, entrou no mais afastado e mais aparentemente anônimo dos sete ou oito cubículos — que, por sorte, você não precisava de uma moeda para usar —, fechou a porta e, com certa dificuldade, manipulou o trinco até que ficasse travado. Sem nenhuma aparente consideração à especificidade de seu ambiente, ela sentou. Juntou os joelhos, bem apertados, como que para se transformar numa unidade menor e mais compacta. Então pôs as mãos, verticalmente, sobre os olhos, que apertou bem com o punho, como que para paralisar o nervo óptico e afundar todas as imagens num negror vazio. Seus dedos estendidos, por mais que tremessem, pareciam estranhamente elegantes e bonitos. Manteve aquela posição tensa, quase fetal, por um momento de suspensão — e então perdeu o controle. Chorou por cinco minutos completos. Chorou sem tentar suprimir nenhuma das manifestações mais ruidosas de dor e desorientação, com todos os convulsivos sons guturais que uma criança histérica solta quando a respiração está tentando subir por uma epiglote parcialmente fechada. E no entanto, quando enfim parou, ela meramente parou, sem as dolorosas, cortantes tomadas de fôlego que via de regra se seguem a uma violenta implosão-explosão. Quando parou, foi como se alguma mudança definitiva de polaridade tivesse ocorrido dentro de sua mente, com um efeito imediato e pacificador no corpo. Com o rosto riscado de lágrimas mas basicamente inexpressivo, quase esvaziado, pegou a bolsa do chão, abriu, e tirou o livrinho verde-ervilha com capa de tecido. Ela o largou no colo — nos joelhos, na verdade — e olhou para ele, contemplou o livrinho, como se aquele fosse o melhor de todos os lugares para um livrinho verde-ervilha estar. Depois de um momento, pegou o livro, ergueu na altura do peito e o apertou contra o corpo — com firmeza, bem rapidamente. Então o colocou de novo na bolsa, levantou, e saiu do cubículo. Lavou o rosto com água fria, secou numa das toalhas que estavam na prateleira, reforçou o batom, penteou o cabelo, e saiu dali.

Estava muito linda quando atravessou o salão e se dirigiu à mesa, em nada destoante da imagem da garota esperta, adequada a um grande fim de semana universitário. No que ela chegou rapidamente, sorrindo, à sua cadeira, Lane lentamente levantou, guardanapo na mão esquerda.

"Meu Deus. Desculpa", Franny disse. "Você achou que eu tinha morrido?"

"Não achei que você tinha *morrido*", Lane disse. Ele puxou a cadeira para ela. "Eu não sabia o que diabos estava acontecendo." Ele foi para sua própria cadeira. "A gente não tem assim tanto tempo sobrando, sabe." Ele sentou. "Tudo bem com você? Seus olhos estão um pouquinho injetados." Olhou mais de perto para ela. "Você tá bem ou não?"

Franny acendeu um cigarro. "Eu estou maravilhosa *agora*. Só que eu nunca me senti tão incrivelmente *gelada* na minha vida toda. Você já pediu?"

"Eu esperei você voltar", Lane disse, ainda olhando de perto para ela. "Mas o que foi, afinal? Problema de estômago?"

"Não. Sim e não. Não sei", Franny disse. Ela olhou para o cardápio que estava sobre seu prato, e o consultou sem pegar na mão. "Eu só quero um sanduíche de frango. E quem sabe um copinho de leite... mas pode pedir o que você quiser e tal. Assim, polvo e caracol e tudo mais. Escargô. Eu não estou com fome mesmo."

Lane olhou para ela, então soltou um jato de fumaça fino e mais que expressivo na direção do prato. "Vai ser um fim de semana supimpa", ele disse. "Sanduíche de frango, pelo amor de Deus."

Franny ficou irritada. "Eu não estou com fome, Lane — *desculpa*. Puxa. Ah, por favor. Pede o que você quiser, tá, e eu vou comendo enquanto você come. Mas eu não posso ficar com fome só porque você quer."

"Tudo bem, tudo bem." Lane esticou o pescoço e conseguiu chamar o garçom. Logo depois, pediu o sanduíche de frango e o copo de leite de Franny, e escargô, coxas de rã e uma salada para ele. Olhou para o relógio de pulso quando o garçom saiu, e disse, "É pra gente estar em Tenbridge à uma e quinze, uma e meia, diga-se de passagem. Sem atraso. Eu disse pro Wally que a gente provavelmente ia passar pra tomar alguma coisa e aí quem sabe ir todo mundo junto pro estádio no carro dele. Tudo bem? Você gosta do Wally".

"Eu nem sei quem é esse Wally."

"Você conversou com ele umas vinte vezes, meu Deus do céu. Wally Campbell. Jesus. Se bobear já falou com ele umas —"

"Ah. Eu lembro... Escuta, não me *odeie* porque eu não consigo lembrar imediatamente de alguém. Especialmente quando a pessoa tem a cara mais comum do mundo, e a conversa, os modos e as roupas mais comuns do mundo." Franny fez sua voz parar. Ela lhe soou resmungona e maldosa, e Franny sentiu uma onda de repulsa por si própria que, literalmente, fez sua testa começar a suar de novo. Mas a voz recomeçou, apesar de sua determinação. "Eu não estou dizendo que ele tenha alguma coisa de horrível nem nada. É só que faz quatro anos que estou vendo Wally Campbells por toda parte. Eu sei quando eles vão ser *encantadores*, sei quando vão começar a te contar alguma fofoca bem suja sobre uma menina que mora no seu dormitório, sei quando eles vão me perguntar o que eu fiz no verão, sei quando vão puxar uma cadeira e sentar abraçando o encosto e começar a contar vantagem com uma voz super, mas supertranquila — ou a desfiar *nomes* com uma voz supertranquila e *informal*. Tem uma lei tácita que diz que as pessoas de um certo nível social ou financeiro podem ficar desfiando nomes conhecidos o quanto quiserem desde que digam alguma coisa supernegativa sobre a pessoa assim que soltarem o nome dela — que o sujeito é um filho da puta, ou ninfomaníaco, ou usa um monte de drogas, ou al*guma* coisa horrorosa." Ela se interrompeu novamente. Ficou quieta um momento, revirando o cinzeiro entre os dedos e tratando de não erguer os olhos e ver a expressão de Lane. "Desculpa", disse. "Não é só o Wally Campbell. Eu só estou encrencando com ele porque você mencionou o nome dele. E porque ele parece uma pessoa que passou o verão na Itália ou alguma coisa assim."

"Ele estava na França nas férias, se é que você quer saber", Lane declarou. "Eu sei do que você está falando", ele acrescentou rápido, "mas você está sendo muito in—"

"Tudo bem", Franny disse exausta. "França." Ela tirou um cigarro do maço que estava na mesa. "Não é só o Wally. Podia ser uma menina, meu Deus do céu. Assim, se fosse uma menina — alguém do meu dormitório, por exemplo —, ela ia ter ficado pintando cenários numa companhia de teatro de repertório o verão inteiro. Ou viajando de bicicleta pelo País de Gales. Ou num apartamento alugado em Nova York, trabalhando pra uma revista ou uma agência de publicidade. É *todo* mundo, assim. Tudo que todo mundo faz é tão — sei lá — não *errado*, nem malvado, nem necessariamente estúpido. Mas simplesmente tão pequenininho e sem sentido e — de te deixar triste. E a pior parte é que se você vira boêmio ou alguma outra loucura dessas, você está tão adaptado quanto os outros, só que de um jeito diferente." Ela parou. Sacudiu brevemente a cabeça, rosto muito branco, e por apenas uma fração de segundo sentiu a testa com a mão — menos, parecia, para ver se estava suando que para verificar, como se fosse sua própria mãe, se estava com febre. "Eu estou tão esquisita", disse. "Acho que estou ficando louca. Vai ver eu já estou louca."

Lane olhava para ela com legítima preocupação — mais preocupação que curiosidade. "Você está pálida como o diabo. Está pálida mesmo — sabia?", ele perguntou.

Franny sacudiu a cabeça. "Eu estou bem. Daqui a pouquinho eu fico bem." Ela ergueu os olhos quando o garçom chegou com os pedidos. "Ah, seus escargôs estão lindos." Ela acabava de levar o cigarro até a boca, mas ele tinha apagado. "O que você fez com os fósforos?", perguntou.

Lane lhe deu fogo quando o garçom saiu. "Você fuma demais", ele disse. Pegou o garfinho que estava ao lado do prato de escargôs, mas olhou de novo para Franny antes de usá-lo. "Eu estou preocupado com você. Sério. Que foi que te aconteceu nessas últimas semanas, diabo?"

Franny olhou para ele, então simultaneamente deu de ombros e sacudiu a cabeça. "Nada. Absolutamente nada", ela disse. "Coma. Coma esses caracóis. Fica horrível se esfriar."

"Coma *você*."

Franny fez que sim e baixou os olhos para seu sanduíche de frango. Sentiu uma leve onda de náusea e imediatamente ergueu os olhos e deu uma tragada no cigarro.

"Como é que está a peça?", Lane perguntou, concentrando-se nos escargôs.

"Sei lá. Eu não estou mais no grupo. Saí."

"Saiu?" Lane ergueu os olhos. "Eu achei que você estava tão doida pra fazer aquele papel. Que foi que aconteceu? Deram o papel pra outra pessoa?"

"Não, não deram. Era só meu. Que coisa nojenta. Ah, que coisa nojenta."

"Bom, que foi que aconteceu? Você não saiu de uma vez do departamento, ou saiu?"

Franny fez que sim, e tomou um gole de leite.

Lane esperou terminar de mastigar e engolir, então disse, "Por quê, meu Deus do céu? Eu achei que a droga do teatro era a sua paixão. É praticamente a única coisa que eu já te vi —".

"Eu só saí, e pronto", Franny disse. "Aquilo começou a me incomodar. Eu comecei a me sentir uma egomaníaca tão nojenta." Ela refletiu. "Sei lá. Ficou parecendo tão de mau gosto, assim, só a coisa de querer atuar. Assim, essa coisa toda do *ego*. E eu odiava de *um* jeito, quando estava numa peça, ficar ali nos bastidores depois que a peça acabava. Aqueles egos todos soltos por ali e se sentindo tão bon*dosos* e *cálidos*. Beijando todo mundo e andando de maquiagem por tudo, e aí tentando ser supernatural e amistosa quando seus amigos vêm te ver nos bastidores. Eu simplesmente me odiava... E a pior parte era que normalmente eu ficava meio com vergonha de estar nas peças em que estive. Especialmente no repertório do verão." Ela olhou para Lane. "E eu fiz uns papéis bons, então não me olhe desse jeito. Não era isso. Era só que eu ia morrer de vergonha se, digamos, alguém que eu respeitava — meus irmãos, por exemplo — aparecesse e me ouvisse dizer algumas das *falas* que eu tinha que dizer. Eu escrevia pra algumas pessoas dizendo pra elas não irem." Refletiu de novo. "A não ser a Pegeen do *Playboy*, no verão passado. Assim, essa podia ter sido bem bacana, só que o brutamontes que fazia o papel do Playboy acabou com toda a graça que a coisa pudesse ter. Ele era tão lírico — meu Deus, como ele era lírico!"

Lane tinha acabado os escargôs. Ficou ali com um olhar deliberadamente inexpressivo. "Ele teve umas resenhas excelentes", disse. "Você me mandou as resenhas, caso tenha esquecido."

Franny suspirou. "Tudo bem. Tá certo, Lane."

"Não, assim, faz meia hora que você está falando como se fosse a única pessoa da droga desse mundo que tem juízo, que tem competência crítica. Assim, se alguns dos melhores críticos acharam que o sujeito estava ótimo na peça, vai ver ele estava mesmo, vai ver você está errada. Isso já te ocorreu? Sabe, você não chegou exatamente a uma idade avançada e —"

"Ele estava ótimo pra alguém que simplesmente tem talento. Se é pra fazer direito o Playboy, você tem que ser um gênio. *Tem* que ser, e pronto — não é culpa minha", Franny disse. Ela curvou um pouco as costas e, com a boca um tanto aberta, pôs a mão no alto da cabeça. "Eu estou me sentindo tão mole e esquisita. Não sei o que que eu tenho."

"Você acha que *você* é um gênio?"

Franny tirou a mão da cabeça. "Ah, Lane. Por favor. Não me venha com essa."

"Eu não estou vindo com —"

"Eu só sei é que estou perdendo o juízo", Franny disse. "Eu estou simplesmente cansada de ego, ego, ego. O meu e o de todo mundo. Cansada de todo mundo que quer *chegar* em algum lugar, fazer alguma coisa que chame atenção e tal, ser uma pessoa interessante. É repulsivo — é porque *é*. Podem dizer o que quiserem."

Lane ergueu as sobrancelhas diante disso, e se reclinou, para se fazer entender melhor. "Tem certeza que não é só medo de competir?", ele perguntou com premeditada tranquilidade. "Eu não sei grandes coisas dessa área, mas sou capaz de apostar que um psicanalista bom — assim, um psicanalista competente de verdade — provavelmente ia pegar essa afirmação —"

"Eu não tenho medo de competição. É exatamente o contrário. Você não percebe? O meu medo é de *entrar* em competição — é isso que me incomoda. Foi por isso que eu saí do Departamento de Teatro. Só porque eu sou condicionada desse jeito tão horrível a aceitar os valores dos outros, e só porque eu gosto de aplauso e das pessoas me elogiando, isso não impede que esteja tudo errado. Eu tenho vergonha. Eu estou cansada. Cansada de não ter coragem de ser um joão-ninguém. Cansada de mim e de todo mundo que quer causar algum tipo de impacto." Ela se deteve, e subitamente pegou o copo de leite e o levou até a boca. "Eu sabia", ela disse, largando o copo na mesa. "Essa é nova. Meus dentes agora ficaram esquisitos. Estão batendo. Eu quase arranquei uma lasca de um copo anteontem. Vai ver eu pirei total e completamente e ainda não me dei conta." O garçom apareceu para servir a Lane as coxas de rã e a salada, e Franny ergueu os olhos para ele. Ele, por sua vez, baixou os seus para o intocado sanduíche de frango dela. Perguntou se a mocinha por acaso gostaria de trocar seu pedido. Franny lhe agradeceu, e disse que não. "É só que eu sou bem lenta", ela disse. O garçom, que não era um rapazinho, pareceu olhar por um instante para a palidez e a testa úmida dela, então fez uma reverência e saiu.

"Quer usar isso aqui um pouquinho?", Lane disse abruptamente. Estava mostrando um lenço branco, dobrado. Sua voz soava compassiva, generosa, apesar de alguma pérfida tentativa de fazer com que soasse objetiva.

"Por quê? Eu estou precisando?"

"Você está suando. Não suando, mas, assim, a sua testa está transpirando um pouco."

"Ver*dade*? Que coisa horrorosa! Desculpa..." Franny levou sua bolsa até a altura da mesa, abriu e começou a remexer lá dentro. "Eu tenho uns lenços de papel em algum lugar."

"Use o meu lenço, meu Deus do céu. Que diferença faz, diabo?"

"*Não* — eu adoro esse lenço e não vou deixar ele todo transpirado", Franny disse. A bolsa dela era das mais lotadas. Para enxergar melhor, ela começou a tirar umas coisas e colocá-las sobre a toalha, logo à esquerda do sanduíche que nem provara. "Aqui", ela disse. Usou um espelho de estojo de pó compacto e, rápida e levemente, secou a testa com um lenço de papel. "Jesus. Eu estou com cara de fantasma. Como é que você aguenta uma coisa dessas?"

"Que livro é esse?", Lane perguntou.

Franny literalmente deu um salto. Ela baixou os olhos para a bagunçada pilha de itens descarregados de sua bolsa sobre a toalha. "Que livro?", ela disse. "Esse aqui, você está dizendo?" Pegou o livrinho com capa de tecido e o pôs de volta na bolsa. "Só um negócio que eu trouxe pra dar uma olhada na viagem de trem."

"Deixa ver. O que é?"

Franny não pareceu ouvir. Ela abriu de novo o estojo de pó compacto e deu mais uma espiada rápida no espelho. "Jesus", ela disse. Então devolveu tudo — estojo, carteira, conta da lavanderia, escova de dentes, latinha de aspirina e um palito folheado a ouro, de mexer coquetéis — para a bolsa. "Não sei por que eu ando com esse palito dourado maluco por aí", ela disse. "Um garoto bem cafona me deu isso quando eu estava no segundo ano, de presente de aniversário. Ele achou que era um presente tão lindo e tão original, e ficou olhando pra minha cara enquanto eu abria o pacote. Eu fico tentando jogar fora, mas simplesmente não consigo. Eu vou ser enterrada junto com ele." Refletiu. "Ele ficava me olhando com um sorrisinho e me dizendo que nunca ia me faltar sorte se eu andasse sempre com o palito."

Lane tinha começado a comer as coxas de rã. "Mas e o livro era o quê, mesmo? Ou é uma porcaria de um segredo ou sei lá o quê?", ele perguntou.

"O livrinho na minha bolsa?", Franny disse. Ela ficou olhando enquanto ele destroncava um par de coxas de rã. Então pegou um cigarro do maço que estava na mesa e o acendeu sozinha. "Ah, sei lá", ela disse. "É um negócio chamado *Relatos de um peregrino russo*." Ficou um momento vendo Lane comer. "Peguei na biblioteca. Um sujeito que dá aula num negócio lá de história da religião que eu estou cursando esse semestre mencionou." Deu uma tragada no cigarro. "Eu estou com ele há semanas. Nunca lembro de devolver."

"Quem foi que escreveu?"

"Sei lá", Franny disse sem dar maior importância. "Parece que foi um camponês russo." Ela continuou olhando Lane comer as coxas de rã. "Ele nunca fala o nome dele. Você nunca fica sabendo o nome dele enquanto ele vai contando a história. Ele só te diz que é camponês, e que tem trinta e três anos de idade, e que tem um braço entrevado. E que a mulher dele morreu. Isso é tudo lá no século XIX."

Lane acabava de transferir sua atenção das coxas de rã para a salada. "E presta?", ele disse. "Fala do quê?"

"Não sei. É esquisito. Assim, é acima de tudo um livro religioso. De certa forma, acho que dava pra dizer que é horrorosamente fanático, mas de certa forma também não é. Assim, começa com o tal camponês — o peregrino — querendo descobrir o que significa quando a Bíblia diz que você tem que rezar incessantemente. Você sabe. Sem parar. Em Tessalonicenses ou sei lá onde. Então ele sai caminhando pela Rússia inteira, procurando uma pessoa que saiba ensinar *como* fazer pra rezar incessantemente. E o que é que você tem que dizer se for fazer isso." Franny parecia intensamente interessada em como Lane ia desmembrando suas coxas de rã. Seus olhos continuavam fixos no prato dele enquanto ela falava. "A única coisa que ele carrega é um bornal com pão e sal. Aí ele encontra um sujeito que ele chama de stárets — algum tipo de pessoa religiosa superavançada — e o stárets fala de um livro chamado *Filocalia*. Que parece que foi escrito por um grupo de monges superavançados que meio que defendiam um método de oração pra lá de incrível."

"Paradinha", Lane disse para uma coxa de rã.

"Enfim, aí o peregrino aprende a rezar do jeito que esses caras bem místicos dizem pra você fazer — assim, ele vai treinando até deixar perfeito e tudo mais. Aí ele continua caminhando pela Rússia toda, encontrando tudo quanto é tipo de gente, as pessoas mais maravilhosas, e ensinando todo mundo a rezar segundo esse método incrível. Assim, isso é meio que o livro todo."

"Eu odeio dizer isso, mas vou ficar fedendo a alho", Lane disse.

"Ele encontra um casal, numa das jornadas que ele faz, que eu amo mais que todo mundo sobre quem eu já li na vida", Franny disse. "Ele está andando por uma estrada em algum lugar do interior, com o bornal nas costas, quando duas criancinhas bem pequenas vêm correndo atrás dele, gritando, 'Mendiguinho querido! Mendiguinho querido! O senhor tem que ir ver a mamãe em casa. Ela gosta de mendigos'. Então ele vai pra casa das crianças, e uma pessoa *muito* encantadora, a mãe das crianças, sai da casa toda esbaforida e insiste em ajudar o peregrino a tirar as botas velhas e sujas, e em lhe dar uma xícara de chá. Aí o pai chega em casa, e aparentemente ele também adora mendigos e peregrinos, e todos sentam pra jantar.

E enquanto eles estão jantando, o peregrino quer saber quem são as mulheres todas que estão sentadas à mesa, e o marido diz que elas são todas criadas mas sempre sentam pra comer com ele e a esposa porque são irmãs em Cristo." Franny subitamente sentou um pouquinho mais ereta na cadeira, constrangida. "Assim, eu adorei isso do peregrino querer saber quem eram as mulheres todas." Ela ficou olhando Lane passar manteiga num pedaço de pão. "Enfim, depois disso, o peregrino passa a noite ali, e ele e o marido ficam até bem tarde conversando sobre o tal método pra rezar sem cessar. O peregrino ensina como é que se faz. Aí ele vai embora de manhã e encara mais umas aventuras. Ele encontra tudo quanto é tipo de gente — assim, o livro todo é isso, no fundo — e ele ensina todo mundo a rezar desse jeito especial."

Lane fez que sim. Atacou a salada com o garfo. "Queira Deus que a gente tenha tempo no fim de semana pra você dar uma olhadinha na porcaria daquele artigo que eu mencionei", ele disse. "Sei lá. Eu posso até não fazer nada com aquela desgraça — assim, tentar publicar ou sei lá mais o quê —, mas eu ia gostar se você desse uma passada de olhos nele enquanto está por aqui."

"Eu ia adorar", Franny disse. Ficou olhando ele passar manteiga em outra fatia de pão. "Você podia gostar desse livro", ela disse de repente. "Assim, é tão simples."

"Parece interessante. Você não vai querer a sua manteiga, né?"

"Não, pode pegar. Eu não posso te emprestar, porque já está bem atrasado, mas você provavelmente consegue pegar na biblioteca daqui. Eu tenho certeza que consegue."

"Você nem encostou na porcaria do sanduíche", Lane disse de repente. "Sabia?"

Franny baixou os olhos para o prato como se ele tivesse acabado de ser colocado na sua frente. "Daqui a pouquinho", ela disse. Ficou um momento sentada imóvel, segurando o cigarro, mas sem tragar, na mão esquerda, e com a direita tensamente presa em volta da base do copo de leite. "Quer saber qual era o método especial de oração que o stárets ensinou pra ele?", ela perguntou. "Até que é bem interessantinho."

Lane atacou seu último par de coxas de rã. Fez que sim. "Claro", ele disse. "Claro."

"Bom, como eu falei, o peregrino — um simples camponês — começou toda a peregrinação pra descobrir o que significa quando a Bíblia diz que você tem que rezar sem cessar. E aí ele encontra o tal stárets — a pessoa religiosa bem avançada que eu mencionei, o sujeito que estava estudando a *Filocalia* fazia anos e mais anos." Franny parou de repente para refletir, para se organizar. "Bom, o stárets fala pra ele em primeiro lugar da Oração de Jesus. 'Senhor Jesus Cristo, tem piedade de mim.' Assim, é isso, a oração. E ele explica que essas são as melhores palavras pra você usar quando reza. Especialmente a palavra 'piedade', porque no fundo é uma palavra imensa e pode significar tanta coisa. Assim, ela não tem que significar só *piedade*." Franny se deteve para refletir de novo. Não estava mais olhando para o prato de Lane, mas por sobre o ombro dele. "Enfim", ela continuou, "o stárets diz pro peregrino que se você ficar dizendo essa oração sem parar — primeiro você só tem que fazer com os *lábios* —, aí uma hora o que acontece é que a oração se torna autoativa. Alguma coisa *acontece* depois de um tempo. Eu não sei o que é, mas alguma coisa acontece, e as palavras se sincronizam com o coração da pessoa, e aí você começa mesmo a rezar sem cessar. O que tem um efeito fantástico, místico mesmo, em toda a sua visão de mundo. Assim, esse que é o *objetivo* da coisa toda, mais ou menos. Assim, você faz isso pra purificar a sua visão de mundo inteirinha e ganhar uma concepção absolutamente nova do sentido final de tudo."

Lane tinha terminado de comer. Agora, quando Franny parou novamente, ele se recostou e acendeu um cigarro e ficou olhando para o rosto dela. Ela ainda olhava distraída para a frente, um ponto além do ombro dele, e mal parecia consciente de sua presença.

"Mas o negócio, o negócio maravilhoso mesmo, é que, quando você começa a fazer, você não precisa nem ter *fé* no que está fazendo. Assim, mesmo que você esteja superenvergonhado com a coisa toda, fica tudo perfeitamente bem. Assim, você não está ofen*dendo* ninguém nem nada assim. Em outras palavras, ninguém pede pra você acreditar em nada quando você começa. Não precisa nem pensar no que está dizendo, diz o stárets. No começo você só precisa é de quantidade. Aí, mais pra frente, ela vira qualidade sozinha. Pelo seu próprio poder ou sei lá o quê. Ele diz que qualquer nome de Deus — qualquer um mesmo — tem esse poder estranho e autoativo por si só, e começa a agir depois que você meio que deu partida na coisa."

Lane estava meio largado na cadeira, fumando, olhos estreitados atentamente para o rosto de Franny. O rosto dela ainda estava pálido, mas já estivera mais pálido em outros momentos desde que os dois chegaram ao Sickler's.

"A bem da verdade, isso faz o maior sentido", Franny disse, "porque nas seitas Nenbutsu do budismo as pessoas ficam dizendo 'Namu Amida Butsu' sem parar — que quer dizer 'Louvor ao Buda' ou alguma coisa assim — e acontece *a mesma coisa*. A mesmíssima —"

"Calma. Vai com calma", Lane interrompeu. "Em primeiro lugar, você vai queimar os dedos daqui a pouquinho."

Franny deu uma espiada mínima na mão esquerda e largou o toco do cigarro ainda aceso no cinzeiro. "A mesma coisa acontece em *A nuvem do não saber* também. Só com a palavra 'Deus'. Assim, você simplesmente fica repetindo a palavra 'Deus'." Ela olhou para Lane de maneira mais direta do que nos últimos muitos minutos. "Assim, a questão é se por acaso você já ouviu alguma coisa tão fascinante assim na sua *vida*, de certa forma? Assim, é tão difícil falar que é simplesmente uma absoluta coinci*dên*cia e deixar assim tão barato — isso é que me parece tão fascinante. Pelo menos, é isso que me parece tão terrivelmente —" Ela se interrompeu. Lane estava se mexendo inquieto na cadeira, e havia uma expressão no rosto dele — um erguer de sobrancelhas, especialmente — que ela conhecia mais do que bem. "Que foi?", perguntou.

"Você acredita mesmo nessas coisas, então?"

Franny pegou o maço de cigarros e tirou um. "Eu não falei nem que acreditava nem que não acreditava", ela disse, e passou os olhos pela mesa em busca da caixa de fósforos. "Eu falei que era fascinante." Aceitou que Lane lhe desse fogo. "Só acho que é uma coincidência terrivelmente esquisita", ela disse, soltando fumaça, "o fato de você ficar topando com esse tipo de conselho — assim, esse monte de pessoas superavançadas e absolutamente não-de-araque que ficam te dizendo que se você repetir incessantemente o nome de Deus, alguma coisa *acontece*. Até na Índia. Na Índia, eles dizem pra você meditar sobre o 'om', que no fundo é a mesma coisa, e supostamente o resultado é o mesmíssimo. Então, quer dizer que não dá pra você simplesmente racionalizar tudo sem nem —"

"Qual *é* o resultado?", Lane disse curto.

"Oi?"

"Assim, qual *é* o resultado que supostamente acontece? Essa patacoada toda de sincronização e tal. Você fica com problemas cardíacos? Não sei se você sabe, mas você pode causar a si mesma, alguém pode causar a si mesmo não poucos males reais se —"

"Você consegue ver Deus. Alguma coisa acontece em alguma parte absolutamente não física do coração — onde os hindus dizem que reside o atmã, se você já fez alguma aula de religião — e você vê Deus, só isso." Ela bateu constrangida a cinza do cigarro, errando por pouco o cinzeiro. Pegou a cinza com os dedos e colocou lá dentro. "E não me pergunte o que é Deus. Assim, eu nem sei se Ele existe. Quando eu era pequena, eu achava —" Ela parou. O garçom tinha aparecido para levar os pratos e redistribuir cardápios.

"Você quer sobremesa ou café?", Lane perguntou.

"Acho que só vou terminar meu leite. Mas escolha você", Franny disse. O garçom acabava de tirar o prato dela com o intocado sanduíche de frango. Ela não ousou erguer os olhos para ele.

Lane olhou para o relógio de pulso. "Meu Deus. A gente não tem mais tempo. Vai ser sorte se a gente chegar a tempo pro *jogo*." Ele olhou para o garçom. "Só um café pra mim, por favor." Ficou olhando o garçom se afastar, então se inclinou para a frente, braços na mesa, completamente relaxado, barriga cheia, café prestes a chegar, e disse, "Bom, é interessante, pelo menos. Essa coisa toda... Eu acho que você não está deixando margem nem pra psicologia mais *bá*sica. Assim, acho que essas experiências religiosas todas têm um fundo psicológico mais que óbvio — você sabe do que eu estou falando... Mas é interessante. Assim, isso não dá pra negar". Ele olhou para Franny e sorriu. "Enfim. Só caso eu tenha deixado de dizer. Te amo. Eu tinha chegado a dizer isso?"

"Lane, me dá licença de novo só um segundinho?", Franny disse. Ela já estava de pé antes de terminar de pronunciar a pergunta.

Lane também ficou de pé, lento, olhando para ela. "Você tá bem?", ele perguntou. "Você não está passando bem de novo, então?"

"Só esquisita. Já volto."

Ela atravessou rápido o salão, tomando o mesmo caminho que tinha tomado antes. Mas parou algo bruscamente diante do bar que ficava do outro lado. O barman, que estava enxugando um copo de xerez, olhou para ela. Ela pôs a mão direita no bar, então baixou a cabeça — curvou a cabeça — e pôs a mão esquerda na testa, meramente tocando-a com a ponta dos dedos. Deu um passo em falso, e então desmaiou, desmoronando no chão.

Passaram-se quase cinco minutos até Franny voltar completamente a si. Ela estava no sofá do escritório do gerente, e Lane estava sentado a seu lado. O rosto dele, angustiadamente suspenso sobre o dela, tinha também sua própria palidez impressionante. "Como é que você tá?", ele disse, numa voz meio que de hospital. "Está melhorzinha?"

Franny fez que sim. Ela fechou os olhos um segundo para se proteger da luz do teto, e depois os abriu novamente. "É pra eu dizer 'Onde eu estou?'", ela disse. "Onde eu estou?"

Lane riu. "Você está no escritório do gerente. Estão todos correndo de um lado pro outro procurando sais de amônia e médicos e essas coisas pra você. Parece que acabaram de ficar sem amônia. Como é que você está se sentindo? Sem brincadeira."

"Bem. *Estúpida*, mas bem. Eu *desmaiei* de verdade?"

"E como. Você simplesmente apagou", Lane disse. Ele segurou a mão dela. "O que você acha que você tem, afinal? Assim, você parecia tão — você sabe —, tão perfeita quando a gente conversou por telefone semana passada. Você ficou sem tomar café da manhã ou —"

Franny deu de ombros. Seus olhos percorreram o cômodo. "Eu estou com tanta vergonha", ela disse. "Alguém teve que me *carregar* até aqui?"

"O barman e eu. A gente meio que te içou. Você me deu um susto dos diabos, sem brincadeira."

Franny olhava pensativamente, sem piscar, para o teto enquanto sua mão era segurada. Então ela se virou e, com a mão livre, fez o gesto de querer erguer o punho da manga de Lane. "Que horas são?", perguntou.

"Nem se incomode com isso", Lane disse. "A gente não está com pressa."

"Você queria ir àquele coquetel."

"Que se dane."

"E está tarde pro jogo, também?", Franny perguntou.

"Escute, eu disse que se dane. Você vai voltar pro seu quarto lá na dona fulana — Blue Shutters — e descansar um pouco, isso que é importante", Lane disse. Ele sentou um pouquinho mais perto dela, se abaixou e lhe deu um beijo, curto. Ele se virou e olhou para a porta, então voltou a olhar para Franny. "Você simplesmente vai *descansar* agora de tarde. É a única coisa que você vai fazer." Ficou um tempo acariciando o braço dela. "Aí quem sabe depois de um tempo, se você conseguir descansar direitinho, eu posso dar um jeito de subir. Acho que aquela porcaria tem uma escada nos fundos. Eu descubro."

Franny não abriu a boca. Ela olhou para o teto.

"Você sabe quanto tempo faz?", Lane disse. "Quando foi aquela noite de sexta-feira? Lá bem no começo do diabo do mês passado, não foi?" Ele sacudiu a cabeça. "Assim não dá. É tempo demais sem molhar a garganta. Pra dizer em termos mais rudes." Olhou mais de perto para Franny. "Você está melhor mesmo?"

Ela fez que sim. Virou a cabeça na direção dele. "Eu estou é com uma sede imensa, só isso. Você acha que dava pra eu tomar um gole d'água? Será que dá muito trabalho?"

"Nem um pouco! Você vai ficar bem se eu te deixar aqui um segundo? Sabe o que eu acho que eu vou fazer?"

Franny sacudiu a cabeça para a segunda pergunta.

"Vou arranjar alguém pra te trazer a água. Aí eu vou chamar o maître e cancelar os sais de amônia — e, aliás, pagar a conta. Aí eu vou deixar um táxi prontinho, pra gente não ter que sair catando um depois. Pode levar uns minutinhos, porque a maioria vai estar por aí pegando o pessoal que vai pro jogo." Ele soltou a mão de Franny e levantou. "Tá bem?", disse.

"Certo."

"Tá, já volto. Não se mexa daí." Ele saiu do cômodo.

Sozinha, Franny ficou deitada bem imóvel, olhando para o teto. Seus lábios começaram a se mover, formando palavras mudas, e continuaram a se mover.

Zooey

Os fatos disponíveis supostamente contam a história toda, mas de modo um tanto mais vulgar, eu suspeito, do que até mesmo fatos normalmente fazem. Como contrapeso, então, começamos por aquele perpétuo inimigo empolgante: a introdução formal do autor. A que eu tenho em mente é não apenas mais palavrosa e sincera do que eu até podia sonhar nos meus momentos mais loucos, mas além de tudo é pessoal num grau que chega a ser excruciante. Se, na melhor das hipóteses, ela vier a bom termo, há de ser comparável, em termos de efeito, a uma visita obrigatória à sala de máquinas, guiada por mim, que com um velho maiô de banho Jantzen conduzo todo mundo.

Indo direto à pior parte, o que eu estou prestes a oferecer não é exatamente um conto, mas uma espécie de vídeo caseiro em prosa, e os que viram a filmagem me aconselharam vigorosamente a não ter grandes planos de distribuição para o material. Esse grupo dissidente, eu tenho o prazer e a enxaqueca de anunciar, consiste nos próprios três protagonistas, duas atrizes, um ator. Vamos primeiro considerar a atriz principal, que, acredito, preferiria ser descrita brevemente como uma figura lânguida e sofisticada. Ela sente que as coisas podiam ter ficado bem razoáveis se eu simplesmente tivesse feito alguma coisa a respeito de uma cena de quinze ou vinte minutos em que ela assoa repetidamente o nariz — cortado a cena, imagino. Ela diz que é repulsivo ficar vendo alguém que assoa o nariz sem parar. A outra senhorita do elenco, uma esbelta soubrette crepuscular, tem objeções ao fato de eu ter, digamos assim, gravado imagens suas com sua velha roupa doméstica. Nenhuma das duas belas (como insinuaram que gostariam de ser chamadas) tem ressalvas muito estridentes aos meus objetivos exploratórios gerais. Por um motivo mais que simples, no fundo. Ainda que, para mim, um tanto enrubescedor. Elas sabem por experiência prévia que eu caio no choro diante da menor palavra de rispidez ou repreensão. Foi o protagonista, entretanto, que fez o mais eloquente apelo para que eu cancelasse a produção. *Ele* acha que o enredo trata de misticismo, ou de mistificação religiosa — que trata de uma ou de outra maneira, ele deixa claro, de um certo elemento transcendente que se exibe com excessiva nitidez, e que ele diz temer que só possa acelerar, promover, o dia e a hora do fim da minha carreira. As pessoas já andam sacudindo a cabeça para mim, e qualquer novo emprego profissional da palavra "Deus" de minha parte, a não ser na conhecida e saudável exclamação americana, será considerado — ou melhor, confirmado — como o pior tipo de exibicionismo e sinal definitivo de que eu fui para as cucuias. O que, obviamente, é algo que faz o típico sujeito de coração fraco, e especialmente um sujeito que escreve, parar para pensar. E fez mesmo. Mas apenas para pensar. Pois uma boa objeção, por mais eloquente que seja, só tem serventia se for aplicável. O fato é que eu venho produzindo vídeos caseiros, com algumas pausas, desde que tinha quinze anos. Num dado momento de *O grande Gatsby* (que foi o meu *Tom Sawyer* quando eu estava com doze anos), o jovem narrador comenta que todos suspeitam ter ao menos uma das virtudes cardeais, e acaba dizendo que acha que a sua seria, benza Deus, a honestidade. A *minha*, acho eu, é saber a diferença entre uma história mística e uma história de amor. Eu digo que o que agora ofereço não é uma história mística, ou uma história religiosamente mistificadora, não mesmo. *Eu* digo que se trata de uma história de amor compósita, ou múltipla, pura e complicada.

A trama propriamente dita, de uma vez por todas, é em grande medida resultado de um trabalho colaborativo meio pecaminoso. Quase todos os fatos que serão apresentados (que serão lenta e *calmamente* apresentados), eu recebi em fascículos horrorosamente espaçados, e no que, para mim, foram sessões algo angustiadamente privadas, da própria boca dos três protagonistas. Nenhum dos três, eu bem posso acrescentar, demonstrou nenhum talento grandioso para a brevidade nos detalhes ou a compressão dos incidentes. Fraqueza que há de transparecer, eu receio, nesta versão final, ou de filmagem. Não posso desculpar esse defeito, lamentavelmente, mas insisto em tentar explicar. Nós somos, os quatro, parentes consanguíneos, e falamos uma espécie de língua esotérica, de família, uma espécie de geometria semântica em que a distância mais curta entre quaisquer dois pontos é um círculo quase inteiro.

Um último aviso: o sobrenome da nossa família é Glass. Daqui a muito pouco, o mais jovem membro masculino da família Glass estará em cena lendo uma carta excessivamente longa (que será reimpressa aqui em sua *integralidade*, posso garantir com certeza) enviada pelo seu irmão mais velho vivo, Buddy Glass. O estilo da carta, pelo que me dizem, tem uma semelhança bem mais que leve com o estilo, ou os maneirismos escritos, deste seu narrador, e o leitor típico vai sem dúvida concluir apressada e impetuosamente que o autor da carta e eu somos uma única pessoa. Há de concluir, e, receio eu, não teria como não concluir. Nós, contudo, deixaremos esse Buddy Glass na terceira pessoa daqui em diante. Ao menos, eu não vejo um bom motivo para tirá-lo dela.

Às dez e meia de uma manhã de segunda-feira em novembro de 1955, Zooey Glass, um rapaz de vinte e cinco anos, estava sentado numa banheira muito cheia, lendo uma carta de quatro anos antes. Era uma carta que parecia quase infinita, datilografada em várias páginas de papel sem cabeçalho, e ele tinha certa dificuldade para manter a carta apoiada nas duas ilhas secas de seus joelhos. À sua direita, um cigarro com cara de umedecido estava equilibrado na borda de uma saboneteira esmaltada, embutida na parede, e nitidamente se mantinha bem aceso, pois de vez em quando ele o pegava e dava uma ou duas tragadas, sem ter que tirar os olhos da carta. Suas cinzas invariavelmente caíam na água do banho, ou direto ou descendo por uma página da carta. Ele parecia não ter consciência do quanto a situação era caótica. Por outro lado, parecia ter consciência, ainda que muito vagamente, de que o calor da água começava a ter um efeito desidratante em seu corpo. Quanto mais tempo passava lendo — ou relendo —, mais vezes usava distraído as costas da mão para enxugar a testa e o lábio superior.

Com Zooey, fique já sabendo, estamos lidando com o complexo, o justaposto, o fendido, e ao menos dois parágrafos de uma espécie de dossiê têm que aparecer já de cara. Para começo de conversa, ele era um rapaz baixo, e de corpo extremamente miúdo. Visto de costas — especialmente onde suas vértebras ficavam visíveis —, ele quase podia ter passado por uma daquelas crianças metropolitanas carentes que são enviadas todo verão para bem financiados acampamentos onde serão engordadas e bronzeadas. De perto, fosse de frente ou de perfil, ele era bonito num grau extraordinário, e até espetacular. A mais velha das duas irmãs (que modestamente prefere ser identificada aqui como uma dona de casa em Tuckahoe) me pediu que o descrevesse como alguém que lembra "o explorador moicano judeu-irlandês de olhos azuis que morreu nos seus braços na mesa de roleta em Monte Carlo". Uma opinião mais geral e certamente menos limitada era que seu rosto tinha sido salvo por pouco de ser lindo, para não dizer deslumbrante, em virtude do fato de que uma de suas orelhas se projetava um pouco mais que a outra. Já eu tenho uma opinião muito diferente dessas duas. Proponho que o rosto de Zooey chegava perto de ser um rosto integralmente lindo. Como tal, ele obviamente era vulnerável ao mesmo tipo de avaliações corajosas, simplistas e normalmente falaciosas a que fica exposta qualquer legítima obra de arte. Acho que ainda cabe dizer que qualquer uma das centenas de ameaças cotidianas — um acidente de carro, um resfriado, uma mentira antes do café da manhã — poderia ter desfigurado ou endurecido sua aparência exuberante, num dia ou num segundo. Mas o que não era diminuível, e, como já se sugeriu de maneira tão direta, era um tipo de uma alegria para sempre, era um autêntico *esprit* sobreposto ao seu rosto todo — especialmente nos olhos, onde com frequência ele era tão atraente quanto uma máscara de Arlequim e, vez por outra, ainda mais desorientador que ela.

Por profissão, Zooey era ator, e havia pouco mais de três anos fazia papéis de protagonista na televisão. Ele era, na verdade, tão "solicitado" (e, conforme vagos relatos de segunda mão que chegavam até sua família, tão bem pago) quanto pode talvez ser um jovem ator de televisão que não é ao mesmo tempo um astro de Hollywood ou da Broadway com reputação nacional já estabelecida. Mas talvez cada uma dessas declarações possa, sem maior elaboração, levar a uma linha de conjecturas excessivamente nítida. A bem da verdade, Zooey tinha feito sua estreia formal e séria como artista diante de uma plateia aos sete anos de idade. Era o segundo mais jovem do que originalmente foram sete irmãos e irmãs* — cinco meni-

---

* Os males estéticos de uma nota de rodapé infelizmente parecem ser justificados aqui. Em tudo que vem a seguir, somente os dois mais novos dos sete filhos serão vistos ou ouvidos diretamente. Os outros cinco, no entanto, os cinco mais velhos, vão ficar espreitando pelos cantos da trama com considerável frequência, como fantasmas de Banquo. O leitor, então, pode preferir saber já de cara que em 1955 o mais velho dos filhos dos Glass, Seymour, havia morrido quase sete anos antes. Cometeu suicídio enquanto passava

nos e duas meninas —, todos eles, com intervalos convenientemente distribuídos durante a infância, tinham sido presença frequente num programa de rádio nacional, um quiz show para crianças chamado *É uma Sábia Criança*. Uma diferença etária de quase dezoito anos entre o mais velho dos filhos dos Glass, Seymour, e a mais jovem, Franny, tinha ajudado consideravelmente a permitir que a família mantivesse uma espécie de cadeira cativa dinástica diante dos microfones do *Sábia Criança*, que durou pouco mais de dezesseis anos — de 1927 até já bem adiantado o ano de 1943, um intervalo de anos que ligava a era do charleston à do B-17. (Toda essa informação, acho eu, é relevante em algum grau.) Apesar de todo o espaçamento e de todos os anos que ficavam entre seus apogeus individuais no programa, pode-se dizer (com poucas, e não muito importantes, reservas) que todos os sete tinham conseguido responder no ar a um número prodigioso de perguntas que se alternavam entre a mais mortal erudição e a mais fatal fofura — enviadas pelos ouvintes — com um frescor, um aplomb, que foi considerado sem-par no rádio comercial. A reação do público às crianças era muitas vezes calorosa, e nunca chegou a ser morna. Em geral, os ouvintes ficaram divididos em dois

---

férias na Flórida com a esposa. Caso estivesse vivo, ele teria trinta e oito anos em 1955. O segundo mais velho, Buddy, era o que se conhece no linguajar acadêmico como "escritor residente" de uma universidade profissionalizante para moças no norte do estado de Nova York. Morava sozinho, numa casa pequena, sem isolamento térmico, sem eletricidade, a menos de meio quilômetro de uma popular pista de esqui. A mais velha depois dele, Boo Boo, era casada e mãe de três crianças. Em novembro de 1955, ela estava em viagem pela Europa com o marido e com todos os três filhos. Em ordem de idade, os gêmeos, Walt e Waker, vêm depois de Boo Boo. Walt tinha falecido pouco mais de dez anos antes. Ele morreu numa explosão bizarra enquanto fazia parte do Exército de Ocupação do Japão. Waker, o cerca de doze minutos mais novo, era padre na Igreja Católica, e em novembro de 1955 estava no Equador, participando de uma conferência jesuíta qualquer.

campos curiosamente indóceis: os que sustentavam que os Glass eram um bando de filhinhos de uma puta, insuportavelmente "superiores", que deviam ter sido afogados ou mortos numa câmara de gás ao nascer, e aqueles que sustentavam se tratar de legítimas crianças inteligentes ou superdotadas, de um nível incomum, ainda que nada invejável. No momento em que escrevo (1957), há antigos ouvintes de *É uma Sábia Criança* que recordam, com uma precisão basicamente atordoante, muitos dos desempenhos individuais de cada uma das sete crianças. Nesse mesmo grupo cada vez menos numeroso mas que estranhamente ainda mantém certos aspectos de uma panelinha, o consenso é que, de todos os Glass, o menino mais velho, Seymour, lá na virada dos anos 1920 para os 1930, tinha sido o "melhor" de ouvir, o mais consistentemente "recompensador". Depois de Seymour, Zooey, o menino mais jovem da família, é geralmente colocado em segundo na ordem de preferência, ou de atração. E já que aqui estamos interessados em Zooey de maneira singularmente prosaica, pode-se acrescentar que, como ex-participante de *É uma Sábia Criança*, ele tinha uma distinção do tipo de-almanaque entre (ou acima de) seus irmãos e irmãs. Ocasionalmente, durante os anos daquelas transmissões, todas as sete crianças tinham ficado à disposição do tipo de psicólogo infantil que tem um interesse especial pelas crianças mais precoces. Em nome dessa causa, ou desse serviço, Zooey foi, de todos os Glass, de longe o mais vorazmente examinado, entrevistado e cutucado. Muito notavelmente, sem exceções até onde eu saiba, suas experiências nos campos aparentemente dispares da psicologia clínica, social e de banca de jornal tinham lhe custado bastante, como se os lugares onde foi examinado estivessem inevitavelmente coalhados de traumas extremamente contagiosos ou dos bons e velhos micróbios mesmo. Por exemplo, em 1942 (com a sempiterna desaprovação de seus dois irmãos mais velhos, que na época estavam ambos no exército) ele foi testado apenas por um grupo de pesquisa, em Boston, em cinco ocasiões diferentes. (Ele tinha doze anos durante a maioria dessas sessões, e é possível que as viagens de trem — dez delas — tivessem certa atração para ele, ao menos no começo.) O principal objetivo dos cinco testes, até onde se pôde perceber, era isolar e estudar, se possível, a fonte da inteligência e da imaginação precoces de Zooey. No final do quinto teste, a cobaia foi mandada para casa com três ou quatro aspirinas num envelope timbrado, para um resfriado que no final revelou ser uma broncopneumonia. Cerca de seis semanas depois, uma chamada interurbana veio de Boston às onze e meia da noite, com muitas moedinhas pequenas caindo num orelhão comum, e uma voz não identificada — sem intenção, provavelmente, de soar pernóstica e engraçadinha — informou ao sr. e à sra. Glass que seu filho Zooey, aos doze anos, tinha um vocabulário inglês exatamente comparável ao de Mary Baker Eddy, desde que pudesse ser convencido a usá-lo.

Em resumo: A longa carta datilografada de quatro anos antes com que Zooey havia se recolhido à banheira, nessa manhã de novembro de 1955, tinha nitidamente sido retirada de seu envelope e desdobrada e redobrada em excessivas ocasiões particulares durante os quatro anos, de modo que agora não somente tinha uma aparência geral *repulsivelich*, mas chegava a estar rasgada em vários lugares, especialmente nos vincos do papel. O autor da carta, conforme já declarado, era Buddy, o mais velho dos irmãos vivos de Zooey. A carta propriamente dita era virtualmente infinita em termos de comprimento, exageradamente elaborada, didática, repetitiva, opiniática, resmunguenta, condescendente, constrangedora — e cheia, até as orelhas, de afeto. Ou seja, exatamente o tipo de carta que um destinatário, querendo ou não, fica levando por um tempo no bolso de trás das calças. E que escritores profissionais de certa estirpe adoram reproduzir verbatim:

18/3/51

CARO ZOOEY,

Acabei de terminar de decodificar uma longa carta da mãe que chegou hoje cedo, falando só de você e do sorriso do general Eisenhower e de menininhos no *Daily News* que caem em poços de elevador e de quando é que eu vou pedir pra *desligarem* meu telefone em Nova York e instalarem um aqui no *interior*, onde eu *preciso* mesmo. Seguramente a única mulher do mundo que consegue escrever uma carta com itálicos invisíveis. Ah, Bessie. Eu recebo quinhentas palavras de texto dela, que nem um reloginho, de três em três meses, falando do pobre do meu telefone particular e de como é es*tú*pido pagar uma grana preta todo mês por uma coisa que ninguém nem está lá pra *usar* mais. O que na verdade é uma puta mentira. Quando eu estou na cidade, eu invariavelmente fico horas e horas conversando com o meu velho amigo Yama, o Deus da Morte, e um telefone particular é central para essas nossas conversinhas. Enfim, por favor, diga a ela que eu não mudei de ideia. Eu morro de amores por aquele telefone. Foi a única propriedade realmente privada que eu e o Seymour tivemos em todo o nosso tempo no kibutz da Bessie. Também é essencial pra minha harmonia interior ver o nome do Seymour todo ano na porcaria da lista telefônica. Eu gosto de dar uma espiada confiante na letra G. Seja bonzinho e transmita esse meu recado. Não exatamente palavra por palavra, mas com jeitinho. Seja mais bonzinho com a Bessie, Zooey, quando puder. Acho que eu não estou dizendo isso por ela ser nossa mãe, mas por ela estar cansada. Você vai fazer isso quando tiver seus trinta anos, quando todo mundo dá uma diminuída de velocidade (até você, talvez), mas faça mais força agora. Não basta tratar ela com a brutalidade apaixonada de um dançarino apache para com sua parceira — o que ela entende, aliás, acredite você ou não. Você esquece que ela vive de sentimentalidade quase tanto quanto o Les.

Mas, fora os problemas do meu telefone, a carta atual da Bessie na verdade é uma carta-Zooey. É para eu escrever te dizendo que você tem a Vida Toda Pela Frente e que é um Crime você não fazer um Doutorado antes de se decidir a entrar de vez na vida de ator. Ela não diz em que gostaria que fosse o seu doutorado, mas suponho que seja matemática mais do que grego, seu ratinho de biblioteca imprestável. Seja como for, eu acho é que ela quer que você tenha alguma Coisa Segura se por algum motivo a carreira de ator não decolar. O que pode ser bem razoável, e provavelmente é mesmo, mas eu não tenho vontade de dizer uma coisa dessas abertamente. Hoje por acaso é um daqueles dias em que eu fico vendo todo mundo da família, inclusive eu mesmo, pela extremidade errada de um telescópio. Eu tive até dificuldade hoje cedo na frente da caixa do correio para saber quem era a Bessie quando vi o nome dela no endereço do remetente do envelope. Por um bom motivo, Escrita Avançada 24-A me largou no colo trinta e oito contos que eu tive que chorosamente arrastar pro fim de semana aqui em casa. Trinta e sete hão de ser sobre uma lésbica tímida e reclusa de uma família holandesa da Pensilvânia que Quer Escrever, narrados em primeira pessoa por um empregado tarado. Em dialeto.

Eu estou dando de barato que você *sabe* que apesar de todos os anos que eu venho rebocando o meu cubículo de prostituição literária de uma universidade pra outra, eu ainda não tenho nem um diploma. Parece que foi um século atrás, mas acho que houve duas razões, originalmente, para eu não me formar. (Tenha a bondade de ficar sentadinho aí. É a primeira vez em anos que estou te escrevendo.) Um, eu era um completo esnobe na universidade, como só pode ser um velho egresso da *Sábia Criança* e futuro bacharelando vitalício em letras, e eu não queria saber de diplomas se todos os literatos pouco lidos, todos os locutores de rádio e bestas pedagógicas que eu conhecia tinham sacolas de diplomas. E, dois, o Seymour fez o doutorado dele numa idade em que a maioria dos jovens dos Estados Unidos mal saiu do ensino médio, e como estava tarde para eu tentar atingir com galhardia o nível dele, eu não quis saber daquilo tudo. Claro, também, que eu tinha certeza quando estava com a sua idade que nunca iam me forçar a dar aula, que se as Musas não conseguissem me sustentar, eu ia polir lentes em algum lugar, como Booker T. Washington. Mas, em qualquer sentido mais específico, acho que não tenho arrependimentos acadêmicos. Em dias especialmente pesados eu às vezes me digo que se tivesse me enchido de diplomas quando pude, talvez não estivesse lecionando uma coisa tão infantil e tão inútil quanto Escrita Avançada 24-A. Mas isso é provavelmente asneira. As cartas estão marcadas (como deviam mesmo estar, imagino) contra todos os estetas profissionais, e não há dúvida de que nós merecemos a morte horrenda, verborrágica e acadêmica que cedo ou tarde nos espera.

Eu acho de fato que o seu caso é bem diferente do meu. Enfim, não acho afinal que eu esteja do lado da Bessie. Se é Segurança o que você quer, ou o que a Bessie quer pra você, seu mestrado vai no mínimo ser sempre uma garantia de que você pode ficar tomando tábuas de logaritmos em qualquer escolinha preparatória horrorosa para garotos do país, e em quase todas as universidades. Por outro lado, esse seu grego maravilhoso não vai te servir pra quase nada em nenhum campus de tamanho razoável se você não tiver um doutorado, vivendo como a gente vive, num mundo que privilegia as cabeças coroadas, ou cabeças esboroadas. (Claro que você sempre pode se mudar pra Atenas. A ensolarada e *velha* Atenas.) Mas quanto mais eu penso no assunto, mais penso danem-se esses outros diplomas pra você. O negócio, se você quer saber, é que eu não consigo deixar de pensar que você daria um ator tão mais adaptado à profissão se eu e o Seymour não tivéssemos metido os

Upanixades e o Sutra do Diamante e Eckhart e todos os nossos antigos amores no meio do resto das coisas que você tinha que ler em casa quando era pequeno. Um ator devia era ter uma bagagem bem leve. Quando nós éramos pequenos, eu e o S. uma vez participamos de um almoço genial com John Barrymore. Ele era inteligente pra diabo, cheio de uma sabedoria acumulada, mas não vivia com o peso de algum baú desajeitado de uma educação formalizada demais. Estou mencionando isso porque andei conversando com um orientalista dos mais pomposos no fim de semana, e num dado momento, durante uma pausa metafísica, bem profunda, na nossa conversa, eu disse que tinha um irmão mais novo que uma vez superou uma história de amor malfadada tentando traduzir o Upanixade Mundaka para o grego clássico. (Ele riu desgraçadamente — você sabe como riem os orientalistas.)

Eu queria era ter alguma ideia do que vai te acontecer como ator. Você nasceu pra isso, sem dúvida. Até a nossa Bessie sabe. E claro que você e a Franny são as únicas pessoas bonitas da família. Mas onde é que você vai trabalhar? Já pensou nisso? No cinema? Se for isso, eu morro de medo que se você ganhar alguma presença acabe sendo tão vitimizado quanto qualquer outro ator jovem para contribuir com o perene amálgama hollywoodiano de boxeador e místico, pistoleiro e criança carente, caubói e Consciência do Homem, e tudo mais. Será que aquela cafonice toda de bilheteria vai te convencer? Ou você vai sonhar com algo um tanto mais cósmico — *zum Beispiel*, o papel de Pierre ou de Andrei numa produção de *Guerra e paz* em tecnicolor, com atordoantes cenas de batalhas, e com todas as nuances de caracterização eliminadas (por serem romanescas e nada fotogênicas), e Anna Magnani numa escolha arriscada para o papel de Natacha (só para manter a produção elegante e honesta), e uma linda trilha sonora de Dmitri Popkin, e todos os atores principais tensionando alternadamente os músculos da mandíbula pra mostrar que estão sob grande tensão emocional, e Estreia Mundial no Winter Garden, sob os holofotes, com Molotov e Milton Berle e o governador Dewey apresentando as celebridades que vão entrando no cinema. (Por celebridades eu me refiro, é claro, a antigos fãs de Tolstói — o senador Dirksen, Zsa Zsa Gábor, Gayelord Hauser, Georgie Jessel, Charles do Ritz.) Que tal? E se você for para o teatro, vai ser com alguma ilusão sobre *esse* meio? Você já viu alguma produção realmente linda de, digamos, *O jardim das cerejeiras*? Não diga que viu. Ninguém viu. Você pode ter visto produções "inspiradas", produções "competentes", mas nunca algo lindo. Nunca uma montagem em que o talento de Tchékhov encontre algo à sua altura, nuance por nuance, idiossincrasia por idiossincrasia, em cada alma que esteja em cena. Eu me preocupo o *diabo* com você, Zooey. Desculpa o pessimismo, se não a sonoridade. Mas eu sei o quanto você exige das coisas, seu safado. E tive a experiência diabólica que é ficar sentado do seu lado no teatro. Eu consigo ver tão nitidamente você exigindo das artes cênicas algo que simplesmente não reside lá. Pelo amor de Deus, tome cuidado.

    Tudo bem que hoje eu não estou em ordem. Eu obedeço ao calendário como todo bom neurótico, e hoje faz três anos, exatamente hoje, do dia em que o Seymour se matou. Alguma vez eu te contei o que aconteceu quando eu fui até a Flórida para trazer o corpo? Eu fiquei chorando que nem um desgraçado naquele avião por cinco horas, direto. Cuidadosamente ajeitando o véu de vez em quando pra ninguém do outro lado do corredor poder enxergar eu estava sozinho numa poltrona, graças a Deus. Coisa de cinco minutos antes do avião pousar, eu me dou conta de um pessoal conversando na poltrona atrás da minha. Uma mulher estava falando, com a Back Bay inteira e uma fatia de Harvard no sotaque, "... e na *manhã seguinte*, meu querido, eles tiraram meio litro de pus daquele corpinho lindo dela". Eu só lembro de ter ouvido isso, mas quando desci do avião minutos depois e a Viúva Enlutada se aproximou de mim com suas roupas pretas da Bergdorf Goodman, eu estava com a Expressão Errada no rosto. Era um sorriso. Que é exatamente como eu me sinto hoje, sem nenhum motivo decente. Apesar de tudo que eu possa pensar, tenho certeza que em algum lugar bem perto daqui — na primeira casa aqui do lado, talvez — um bom poeta está morrendo, mas que também em algum lugar bem perto daqui alguém está vendo tirarem um hilário meio litro de pus do corpinho lindo dela, e eu não consigo ficar correndo pra sempre de um lado pra outro, da tristeza para o grande deleite.

No mês passado, o reitor Sheeter (cujo nome normalmente acaba com a Franny quando eu menciono) veio me procurar com seu sorriso gracioso e seu rebenque, e agora eu estou dando aula para o corpo docente, com as esposas e um ou outro graduando de um tipo depressivamente meditabundo, toda sexta, sobre zen e budismo maaiana. Um feito, não tenho a menor dúvida, que um dia vai me garantir a Cátedra de Filosofia Oriental no Inferno. A questão é que agora eu passo cinco dias por semana no campus, em vez de quatro, e com o meu próprio trabalho à noite e nos fins de semana, eu quase não tenho mais tempo para pensar de maneira optativa. O que é meu jeito resmunguento de dizer que eu me preocupo sim com você e com a Franny quando tenho chance, mas nem de longe tanto quanto eu gostaria. O que eu estou mesmo tentando te dizer é que a carta da Bessie teve muito pouco a ver com a minha decisão de sentar em meio a um mar de cinzeiros pra te escrever hoje. Ela me sapeca alguma informação de primeira necessidade sobre você e a Franny toda semana e eu nunca tomo providências, então não é isso. O que gera essa situação é algo que me aconteceu hoje aqui no mercadinho local. (Nada de parágrafo novo. Vou te poupar dessa.) Eu estava em frente ao balcão do açougue, esperando cortarem umas costeletas de carneiro pra mim. Uma mãe jovem e a filha pequena estavam por ali esperando também. A menininha tinha seus quatro anos de idade, e, para matar o tempo, ela se encostou no mostruário de vidro e ficou encarando o meu rosto com a barba por fazer. Eu disse que ela devia ser a menininha mais linda que eu tinha visto naquele dia inteiro. O que para ela fez sentido; ela fez que sim. Eu disse que apostava que ela tinha um monte de namorados. Ganhei o mesmo gesto de cabeça. Perguntei quantos namoradinhos ela tinha. Ela ergueu dois dedos. "Dois!", eu disse. "Mas é muito namorado. Como é que eles se chamam, querida?" Ela disse, numa voz rascante, "*Bobby e Dorothy*". Eu peguei as minhas costeletas e saí correndo. Mas isso foi exatamente o que gerou essa carta aqui — muito mais do que a Bessie insistindo para eu te escrever sobre doutorados e atuação. Isso, e um poema estilo haicai que eu encontrei no quarto de hotel em que o Seymour se matou. Estava escrito a lápis no mata-borrão da mesa: "A menininha no avião/ Que virou a cabeça de sua boneca/ Para me olhar". Com essas duas coisas em mente, eu pensei enquanto voltava de carro do supermercado que finalissimamente ia te escrever e te contar *por que* eu e o S. assumimos a sua educação e a da Franny tão cedo e daquele jeito tão arrogante. Nós nunca dissemos com todas as letras pra vocês, e acho que já estava na hora de um de nós dois dizer. Mas agora eu já não sei bem se consigo. A menina do açougue não está mais aqui, e eu não consigo ver bem o rostinho educado da boneca no avião. E aquele antigo horror de ser um escritor profissional, e aquela aura verbal nojenta que sempre vem com ele, estão começando a me tirar do sério. Mas parece tremendamente importante tentar.

As diferenças de idade na família sempre pareceram aumentar nossos problemas de maneira desnecessária e perversa. Não tanto entre o S. e os gêmeos ou a Boo Boo e eu, mas entre as duplas de Franny e você e S. e eu. O Seymour e eu já éramos adultos — ele tinha saído fazia anos da universidade — quando você e a Franny aprenderam a ler. Naquele estágio, nós nem tínhamos grandes impulsos de empurrar nossos autores clássicos preferidos pra vocês — não, ao menos, com a mesma volúpia que tivemos com os gêmeos ou a Boo Boo. Nós sabíamos que não há como manter na ignorância um erudito nato, e no fundo, acho, nós nem queríamos, mas ficávamos nervosos, e até amedrontados, diante das estatísticas a respeito de criancinhas pedantes e sabichões acadêmicos que quando crescem viram o geniozinho da sala dos professores. Só que, e isso era muito, mas muito mais importante, o Seymour já tinha começado a acreditar (e eu concordava com ele, até onde conseguia enxergar a questão) que uma educação qualquer que fosse teria o mesmo perfume, e quem sabe até um perfume melhor, se não começasse por uma busca por conhecimento nem nada assim, mas por uma busca, como diria o zen, do não conhecimento. O dr. Suzuki diz em algum lugar que estar num estado de pura consciência — *satori* — é estar com Deus antes de Ele dizer, Haja luz. Eu e o Seymour achamos que podia ser uma coisa boa evitar que essa luz chegasse a você e à Franny (pelo menos no que fosse possível para nós) junto com todos os outros efeitos luminosos mais baixos e mais na moda — artes, ciências, clássicos, línguas — até vocês dois serem ao menos capazes de conceber um estado de existência em que a mente conhece a fonte de toda a luz. Nós achamos que seria maravilhosamente construtivo no mínimo (ou seja, se as nossas próprias "limitações" atrapalhassem tudo) dizer a vocês tudo que sabíamos a respeito dos homens — os santos, os arhats, os bodisatvas, os jivanmuktas — que sabiam alguma coisa ou todas as coisas a respeito desse estado de existência. Ou seja, nós queríamos que vocês dois soubessem quem e o que foram Jesus e

Gautama e Lao-Tsé e Shankaracharya e Huineng e Sri Ramakrishna etc., antes de saberem demais, ou de todo, a respeito de Homero ou Shakespeare e até de Blake ou de Whitman, para nem falar de George Washington com a sua cerejeira ou da definição de península ou de análise sintática. Essa, enfim, era a grande ideia. Com tudo isso, acho que eu estou é tentando dizer que sei o quanto você odeia pensar nos anos em que eu e o S. ficamos conduzindo regularmente os nossos seminários domésticos, e especialmente as sessões metafísicas. Eu só espero que um dia — de preferência quando estivermos os dois tortos de bêbados — a gente possa falar disso. (Enquanto isso, só posso dizer que nem eu nem o Seymour jamais tivemos ideia, lá atrás, de que você ia virar ator quando crescesse. Nós *devíamos* ter percebido, sem dúvida, mas não percebemos. Se tivéssemos, eu tenho certeza que o S. teria tentado fazer algo construtivo a respeito. Certeza que em algum lugar há de haver um cursinho especial de preparação para a entrada no Nirvana e adjacências concebido estritamente para atores, e acho que o S. teria encontrado esse cursinho.) O parágrafo devia acabar aqui, mas eu não consigo parar de resmungar. Você vai torcer o nariz pro que vem a seguir, mas o que vem a seguir precisa vir a seguir. Acho que você sabe que eu tinha toda a intenção de me manter em contato depois da morte do S. e de ver como você e a Franny estavam segurando as pontas. Você estava com dezoito, e eu não me preocupava demais com você. Se bem que acabei ouvindo uma figurinha mais fofoqueira numa das minhas turmas dizer que você tinha fama na sua universidade de sumir e ficar sentado meditando dez horas direto, e *isso* me deixou com a pulga atrás da orelha. Mas a Franny tinha *treze* na época. Só que eu simplesmente não conseguia me mexer. Eu estava com medo de voltar pra casa. Eu não estava com medo que vocês dois, às lágrimas, se entrincheirassem do outro lado da sala e atirassem a coleção completa de Max Müller dos Livros Sagrados do Oriente em cima de mim, um por um. (O que para mim teria sido o êxtase do masoquismo, provavelmente.) Mas eu *estava* era com medo das perguntas (bem mais que das acusações) que vocês dois podiam me fazer. Como eu lembro mais do que bem, eu deixei um ano inteiro passar depois do enterro antes de sequer voltar pra Nova York. Depois disso, era bem fácil voltar para aniversários e feriados e ter uma certeza razoável de que as perguntas iam se concentrar em quando o meu próximo livro ficava pronto e se eu andava esquiando etc. Vocês dois já estiveram aqui em vários fins de semana durante os últimos anos, e por mais que nós tenhamos falado e falado e falado sem parar, nós todos concordamos em não dizer uma única palavra. Hoje é a primeira vez que eu realmente quis abrir a boca. Quanto mais me afundo nessa carta, mais eu perco a coragem e a convicção. Mas te juro que tive uma visãozinha perfeitamente comunicável da verdade (à la costeletas de carneiro) hoje à tarde, no mesmo instante em que aquela criança me disse que os nomes dos seus namoradinhos eram Bobby e Dorothy. O Seymour me disse uma vez — num ônibus metropolitano, quem diria — que todo estudo sério de religião *tem* que levar ao desaprendizado das diferenças, das diferenças ilusórias, entre meninos e meninas, animais e pedras, dia e noite, calor e frio. Isso me ocorreu de repente ali no balcão do açougue, e me pareceu questão de vida ou morte voltar pra casa a cento e dez quilômetros por hora pra te mandar uma carta. Ah, meu Deus, como eu queria ter catado um lápis lá mesmo no supermercado e não ter confiado no caminho para casa. Mas talvez tenha sido melhor. De vez em quando eu penso que você perdoou o S. mais completamente que qualquer um de nós. O Waker uma vez me disse uma coisa bem interessante sobre isso — a bem da verdade, eu estou só repetindo o que ele me disse. Ele disse que você foi o único que se amargurou com o suicídio do S. e o único que realmente o perdoou. Nós, os outros, ele disse, éramos externamente não amargurados e internamente não piedosos. Isso pode ser a mais profunda verdade. Como é que eu posso saber? A única coisa que eu sei com certeza é que eu tinha uma coisa feliz e empolgante pra te dizer — e numa única folha, sem verso, com espaço duplo — e sabia quando cheguei em casa que quase tudo tinha desaparecido, ou tudo, e que só me restava fazer de conta. Ficar com discursos sobre doutorados e a vida de ator. Que coisa mais caótica, mais engraçada, e como o próprio Seymour teria sorrido sem parar — e provavelmente teria dito que eu e todos nós não precisávamos nos preocupar com isso.

Chega. *Represente*, Zachary Martin Glass, quando e onde quiser, se é o que você sente que precisa fazer, mas faça isso com *tudo que você tem pra dar*. Se você fizer qualquer coisinha no palco que seja linda, qualquer coisa sem nome e que crie alegria, qualquer coisa que seja mais que a obrigação da competência teatral, eu e o S. vamos alugar smokings e cartolas de strass para ir com pompa e circunstância até o camarim com buquês de bocas-de-leão. De qualquer maneira, por menos valor que isso tenha, por favor, conte com o meu afeto e com o meu apoio, qualquer que seja a distância entre nós.

BUDDY

Como sempre, as minhas tentativas de ser onisciente são absurdas, mas você, acima de todos, devia tratar com polidez a parte de mim que pode parecer meramente esperta. Anos atrás, nos meus primeiros e mais cadavéricos anos como pretenso escritor, uma vez eu li um conto em voz alta para o S. e a Boo Boo. Quando acabei, a Boo Boo disse seca (mas olhando pro Seymour) que o conto era "esperto demais". O S. sacudiu a cabeça, sorrindo largo pra mim, e disse que a esperteza era o meu problema permanente, a minha perna de pau, e que era uma coisa de péssimo gosto chamar a atenção do grupo pra isso. De um manco para outro, meu amigo Zooey, sejamos corteses e bondosos um com o outro.

                Com muito amor,
                B.

A última página, a de baixo, da carta de quatro anos antes estava manchada de uma cor quase de couro, e rasgada em dois pontos das dobras. Zooey, ao terminar de ler, tratou a carta com certo cuidado ao colocá-la de novo na ordem da página 1. Bateu as folhas, para alinhar, contra os joelhos. Fechou a cara. Então, temperamental, como se tivesse lido a carta, meu Deus, pela última vez na vida, ele a meteu como se fosse mero enchimento no envelope. Pôs o envelope gordo na lateral da banheira e começou a brincar um pouco com ele. Com um dedo empurrava o envelope carregado pela borda da banheira, vendo, aparentemente, se conseguia mantê-lo em movimento sem deixar que caísse na água do banho. Depois de uns bons cinco minutos disso, deu um tapinha torto no envelope e teve que estender rápido a mão para pegá-lo. O que acabou com a brincadeirinha. Mantendo na mão o envelope recuperado, ele se abaixou, se afundou mais na água, deixando os joelhos submergirem. Ficou encarando distraído por um ou dois minutos a parede de azulejos diante do pé da banheira, então olhou rapidamente para seu cigarro na saboneteira, tirou-o dali, e deu umas tragadas de teste, mas o cigarro tinha apagado. Sentou de novo mais reto, muito abruptamente, fazendo uma grande onda de água do banho, e deixou a mão esquerda seca cair sobre a borda da banheira. Um manuscrito datilografado estava largado, com a capa para cima, no tapetinho. Ele o pegou e o trouxe a bordo, por assim dizer. Encarou brevemente o papel, então inseriu sua carta de quatro anos de idade nas páginas do meio, onde os grampos mantinham as páginas mais apertadas. Ele então apoiou o manuscrito nos joelhos agora molhados, coisa de dois centímetros acima da linha d'água, e começou a virar as páginas. Quando chegou à página 9, dobrou o manuscrito, como se fosse uma revista, e começou a ler ou estudar.

O papel de Rick tinha sido vigorosamente sublinhado com um lápis de ponta mole.

TINA (*triste*): Ah, querido, querido, querido. Eu não sirvo de muita coisa pra você, não é?
RICK: Não diga isso. Nunca diga isso, está me ouvindo?
TINA: Mas é verdade. Eu sou pé-frio. Eu sou tão pé-frio. Se não fosse por mim, o Scott Kincaid ia ter te mandado pro escritório de Buenos Aires há séculos. Eu estraguei tudo. (*vai até a janela*) Eu sou uma das raposinhas que fazem mal às vinhas. Parece que eu sou alguém que está numa peça supersofisticada. Mas o engraçado é que eu não sou sofisticada. Eu não sou nada. Eu sou só eu. (*vira-se*) Ah, Rick, Rick, eu estou com medo. O que foi que aconteceu com a gente? Eu não encontro mais o que a gente era. Eu procuro, procuro e a gente simplesmente não está mais. Eu estou assustada. Eu sou uma criancinha assustada. (*olha pela janela*) Eu odeio essa chuva. Às vezes eu me enxergo morta na chuva.
RICK (*baixo*): Meu amor, isso não é uma citação de *Adeus às armas*?
TINA (*vira-se, furiosa*): Saia daqui. Saia! Saia já daqui antes que eu pule pela janela. Está me ouvindo?
RICK (*agarrando-a*): Agora me escute você. Minha imbecilzinha mais linda. Coisinha querida, infantil, exagerada —

A leitura de Zooey foi subitamente interrompida pela voz de sua mãe — inoportuna, semiconstrutiva — que falava com ele do outro lado da porta do banheiro: "Zooey? Você ainda está na banheira?".

"*Estou*. Eu ainda estou na banheira. Por quê?"

"Eu quero entrar bem rapidinho. Eu estou com um negócio que é pra você."

"Eu estou na banheira, mãe, pelo amor de Deus."

"Vai ser rapi*di*nho mesmo, meu Deus do céu. Feche a cortina do chuveiro."

Zooey deu uma olhada de despedida para a página que estava lendo, então fechou o manuscrito e o derrubou no chão ao lado da banheira. "Jesus Cristo todo-poderoso", ele disse. "Às vezes eu me vejo morto na chuva." Uma cortina de chuveiro escarlate, de náilon, com um padrão de sustenidos, bemóis e claves estampado em amarelo-canário, estava amontoada no pé da banheira, presa por argolas de plástico a uma barra cromada no alto. Inclinando-se para a frente, Zooey estendeu a mão e a puxou por toda a extensão da banheira, isolando-se lá dentro. "Tudo bem. Meu *Deus*. Entra de uma vez então", ele disse. Sua voz não tinha maneirismos conspícuos de ator, mas era algo excessivamente vibrante; ela tinha uma "projeção" implacável quando ele não tinha interesse em controlá-la. Anos antes, como participante mirim de *É uma Sábia Criança*, ele vivia sendo aconselhado a ficar afastado do microfone.

A porta abriu, e a sra. Glass, uma mulher semirrobusta com o cabelo numa redinha, entrou furtivamente no banheiro. Sua idade, em quaisquer circunstâncias, era ferozmente indeterminada, mas acima de tudo quando estava com sua redinha de cabelo. Suas entradas num cômodo eram normalmente tanto verbais quanto físicas. "Não sei como você aguenta ficar na banheira desse jeito." Ela fechou a porta imediatamente depois de entrar, como faz quem há muitos e muitos anos trava uma batalha para defender sua prole das correntes de ar pós-banho. "Não faz nem bem pra saúde", ela disse. "Você sabe há quanto tempo que você está nessa banheira? Exatamente quarenta e cinco —"

"Não me diga! Nem me diga, Bessie."

"Como assim, não te *diga*?"

"Exatamente isso mesmo. Deixa eu ficar com a porcaria da ilusão de que você não estava lá fora contando os minutos que eu passo —"

"Ninguém está contando minuto *nenhum*, rapazinho", a sra. Glass disse. Ela já estava muito ocupada. Tinha levado para o banheiro um pacote pequeno, oblongo, embrulhado em papel branco e amarrado com uma fita dourada. Parecia conter um objeto mais ou menos do tamanho do diamante Hope ou de um bico de irrigação. A sra. Glass olhou para ele com olhos apertados e cutucou a fita dourada com os dedos. Quando o nó não cedeu, aplicou-lhe os dentes.

Estava usando seus trajes domésticos de sempre — o que seu filho Buddy (que era escritor e portanto, como ninguém menos que Kafka nos diz, *não era um bom homem*) dizia ser seu uniforme pré-notificação-de-morte. Ele consistia basicamente num desbotado quimono japonês azul-noturno. Ela quase invariavelmente usava aquele quimono em suas andanças pelo apartamento durante o dia. Com suas muitas dobras de aparência algo esotérica, ele também servia como repositório para todo o aparato de uma pessoa que era uma fumante para lá de inveterada e ainda se dedicava como amadora a consertos domésticos; dois bolsos tamanho-família tinham sido acrescentados na altura da cintura, e continham dois ou três maços de cigarros, várias caixinhas de fósforos, uma chave de fenda, um martelo, um canivete de escoteiro que um dia pertencera a um de seus filhos, e um ou dois comandos esmaltados de torneira, fora um sortimento de parafusos, pregos, dobradiças e rolamentos — um conjunto que fazia a sra. Glass tilintar levemente conforme se movia por seu grande apartamento.

Dez anos antes ou mais, suas duas filhas tinham muitas vezes, ainda que sem sucesso, conspirado para jogar fora o veterano quimono. (Boo Boo, sua filha casada, havia insinuado que alguém poderia dar um golpe de misericórdia na peça de roupa com algum instrumento contundente antes de confiná-la no cesto de lixo.) Por mais pretensamente oriental que tivesse sido o desenho original do roupão, ele não diminuía em absolutamente nada a poderosa e sólida impressão que a sra. Glass, *chez elle*, causava em certo tipo de observador. Os Glass moravam num prédio antigo mas, categoricamente, ainda elegante que ficava na altura das ruas de número 70, lado Leste, onde possivelmente dois terços das residentes mais maduras possuíam casacos de pele e, quando deixavam o edifício numa bela manhã de um dia de semana, tinham no mínimo boas chances de serem vistas, cerca de meia hora depois, entrando ou saindo de um dos elevadores da Lord & Taylor ou da Saks ou da Bonwit Teller. Nesse local distintamente manhattanesco, a sra. Glass era (do ponto de vista de uma moça inegavelmente mais espevitada) uma mácula bem revigorante. Ela, de início, parecia alguém que nunca, mas nunca mesmo, saía do prédio mas que, *caso* saísse, estaria usando um xale escuro e se dirigindo grosso modo rumo à rua O'Connell, para ir buscar o corpo de um de seus filhos meio irlandeses meio judeus, que, por algum erro burocrático, acabava de ser morto a tiros pelos rebeldes.

A voz de Zooey súbita e desconfiadamente se manifestou: "*Mãe?* O que é que você está fazendo aí, Jesus amado?".

A sra. Glass havia despido o pacote e agora estava lendo as letrinhas miúdas no verso de uma caixa de pasta de dentes. "Tenha a bondade de fechar essa boquinha", ela disse, algo desligada. Foi até o armário de remédios. Ele estava alocado acima da pia, contra a parede. Ela abriu sua porta espelhada e passou em revista as congestionadas prateleiras com o olhar — ou melhor, com os olhos magistralmente apertados — de uma dedicada jardineira de armários de remédios. Diante dela, em fileiras abusivamente luxuriantes, estava um batalhão, digamos assim, de dourados elixires, mais algumas espécies tecnicamente menos nativas. As prateleiras exibiam iodo, mercurocromo, cápsulas de vitaminas, fio dental, aspirina, Anacin, Bufferin, Argyrol, Musterole, Ex-Lax, leite de magnésia, Sal Hepatica, Aspergum, duas lâminas Gillette, um aparelho de barba Schick, dois tubos de creme de barbear, uma foto torta e meio rasgada de um gato gordo, preto e branco, dormindo na cerquinha de uma varanda, três pentes, duas escovas de cabelo, um frasco de óleo capilar Wildroot, um frasco de anticaspa Fitch, uma caixa pequena, sem rótulo, de supositórios de glicerina, gotas nasais Vick, Vick VapoRub, seis barras de sabão de castela, os canhotos de três ingressos para uma comédia musical de 1946 (*Minha cara-metade*), um tubo de creme depilatório, uma caixa de lenços de papel, duas conchas marinhas, um sortimento de lixas de papel com aparência de usadas, dois potes de creme demaquilante, três tesouras, uma lixa de metal, uma bolinha de gude azul transparente (conhecida pelos jogadores de búrica, pelo menos nos anos 1920, como uma "purinha"), um creme para contrair poros dilatados, uma pinça, um relógio de ouro, de mulher ou de menina, sem pulseira, uma caixa de bicarbonato de sódio, o anel da turma de um internato para meninas com uma pedra de ônix lascada, um frasco de Stopette — e, por mais que pareça inconcebível, muita coisa mais. A sra. Glass rispidamente tirou um objeto da prateleira de baixo e o largou, com um minúsculo baque abafado, no cesto de lixo. "Eu estou colocando essa pasta de dentes nova que está todo mundo elogiando tanto aqui pra você", anunciou, sem se virar, e cumpriu sua palavra. "Eu quero que você pare de usar aquele pó maluco. Aquilo vai arrancar todinho esse esmalte lindo dos teus dentes. Você tem dentes bonitos. O mínimo que pode fazer é cuidar direito —"

"Quem foi que disse?" Um som de água de banho agitada veio de trás da cortina do chuveiro. "Quem diabos foi que disse que aquilo vai arrancar todinho o esmalte bonito dos meus dentes?"

"*Eu* que disse." A sra. Glass deu uma última olhadela crítica em seu jardim. "Só use essa aqui, por favor." Ela cutucou de leve uma caixa ainda fechada de Sal Hepatica com a espátula dos dedos estendidos para que ficasse alinhada com as outras sempre-vivas de seu canteiro, e então fechou a porta do armário. Abriu a torneira de água fria. "Eu queria era saber quem que é que lava a mão e não limpa a pia depois", disse ameaçadora. "Isso aqui supostamente é uma família só de adultos." Ela aumentou a pressão da água e limpou a pia rápida mas perfeitamente com uma só mão. "Imagino que você ainda não tenha conversado com a tua irmã mais nova", ela disse, e se virou para olhar a cortina.

"Não, eu ainda não conversei com a minha irmã mais nova. Que tal sair do diabo do banheiro agora?"

"Não conversou por quê?", a sra. Glass perguntou. "Eu não acho isso bonito, Zooey. Não acho isso *nada* bonito. Eu pedi especialmente pra você me fazer o favor de ir ver se tem alguma coisa —"

"Em primeiro lugar, Bessie, eu levantei tem só uma hora. Em segundo lugar, eu fiquei falando com ela duas horas direto ontem de noite, e não acho francamente que ela esteja querendo conversar com nenhum de nós hoje. E em terceiro lugar, se você não sair daqui eu vou tacar fogo na porcaria dessa cortina horrorosa. É sério, Bessie."

Em algum momento, durante esses três ilustrativos argumentos, a sra. Glass tinha deixado de prestar atenção e tinha sentado. "Às vezes eu era quase capaz de matar o Buddy por não ter telefone", ela disse. "É tão *desnecessário*. Como é que pode um sujeito adulto *viver* desse jeito — sem *telefone*, sem *na*da? Ninguém aqui tem desejos de invadir a *privacidade* dele, se é o que ele *quer*, mas eu te garanto que eu não acho necessário viver que nem um ere*mi*ta." Ela estremeceu de irritação, e cruzou as pernas. "Não é nem seguro, pelo amor de Deus! E se ele quebra uma perna ou alguma coisa assim? Lá no meio do *mato* daquele jeito. Eu vivo preocupada com isso."

"Ah, é mesmo? E você fica preocupada com quê? Ele quebrar uma perna ou ele não ter telefone quando você quer que ele tenha?"

"Eu me preocupo com as *duas* coisas, rapazinho, pro seu governo."

"Bom... não se preocupe. Não perca tempo. Você é tão burra, Bessie. Por que você é tão burra? Você conhece o Buddy, meu Deus do céu. Se ele estivesse trinta quilômetros mato adentro, com as duas pernas quebradas e uma porcaria de uma *flecha* espetada nas costas, ele ia voltar rastejando pra caverna só pra conferir se ninguém tinha passado por ali para provar as galochas dele enquanto ele não estava." Uma gargalhada curta, divertida, ainda que algo macabra, soou detrás da cortina. "Vai por mim. Ele cuida demais da porcaria da privacidade dele pra morrer no meio do mato."

"Ninguém falou nada de *morrer*", a sra. Glass disse. Ela deu uma pequena e desnecessária ajeitada na rede do cabelo. "Eu passei a manhã *inteira* tentando falar com aquele pessoal que mora perto dele. Eles nem atendem. É de dar *rai*va não conseguir falar com ele. Quantas vezes eu já implo*rei* pra ele tirar aquele telefone maluco lá do antigo quarto dele e do Seymour. Não é nem nor*mal*. Quando alguma coisa apare*cer* de verdade e ele *precisar* do telefone — é de dar raiva. Eu tentei duas vezes ontem de noite, e umas quatro vezes agora —"

"Que história é essa de 'dar raiva'? Em primeiro lugar, por que é que uns desconhecidos perto dele iam ter que ficar à tua disposição?"

"Ninguém está falando de ninguém ficar à nossa *disposição*, Zooey. Só não seja tão abusado, por favor. Pro seu governo, eu fico *muito* preocupada com aquele menino. *E* acho que alguém tinha que avisar o Buddy dessa história toda. Só pro seu go*ver*no, eu acho que ele nunca ia me perdoar se eu não entrasse em contato com ele numa hora dessas."

"Está bem, então! Por que é que você não liga pra universidade, em vez de incomodar os vizinhos? Ele não ia estar na caverna mesmo, não a essa hora — você sabe."

"Só tenha a bondade de baixar esse tom de voz, por favor, rapazinho. Ninguém aqui é surdo. Eu aprendi por experiência própria que isso não ajuda nadinha. Eles só deixam bilhetes na mesa dele, e acho que ele nem chega *perto* daquele gabinete mesmo." A sra. Glass abruptamente inclinou seu peso para a frente, sem levantar, e pegou alguma coisa que estava em cima do cesto de roupa suja. "Você está com um trapinho de banho aí?", ela perguntou.

"É 'paninho' de banho, não 'trapinho', e a única coisa que eu quero, Bessie, é ficar em paz aqui na porcaria desse banheiro. É o meu simples e único desejo. Se eu quisesse isso aqui lotado de tudo quanto é irlandesa gorda que passasse por aí, eu tinha dito. Então, vamos. Sai daqui."

"Zooey", a sra. Glass disse paciente. "Eu estou segurando um trapinho de banho limpo aqui na minha *mão*. Você quer ou não quer? Só diga se quer ou não, por favor."

"Ah, meu Deus! Quero. Quero. *Quero*. Mais que tudo nesse mundo. Joga por cima."

"Eu não vou *jogar* por cima, eu vou te entregar. Sempre jogando as coisas, nessa família." A sra. Glass levantou, deu três passos na direção da cortina, e ficou esperando que uma mão incorpórea viesse pegar o paninho de banho.

"Muitíssimo obrigado. Zarpa daqui, por favor. Eu já perdi uns cinco quilos."

"Mas é *cla*ro! Você fica aí sentado nessa banheira até ficar praticamente roxo, e aí você — O que que é *isso* aqui?" Com imenso interesse, a sra. Glass se abaixou e pegou o manuscrito que Zooey estava lendo antes de ela fazer sua entrada. "É o roteiro novo que o sr. LeSage mandou?", ela perguntou. "No *chão*?" Ela não mereceu resposta. Foi como se Eva tivesse perguntado a Caim se aquilo ali não era sua linda foice nova largada na chuva. "Que lugarzinho maravilhoso pra se colocar um manus*cri*to, veja só." Ela transportou o manuscrito até a janela e o colocou cuidadosamente sobre o aquecedor. Olhou para ele, numa aparente inspeção em busca de umidade. A persiana da janela estava abaixada — Zooey tinha feito toda a sua leitura de banheira à luz das três lâmpadas do teto —, mas uma fração da luz matinal se infiltrava por sob a persiana e por sobre a folha de rosto do manuscrito. A sra. Glass inclinou a cabeça para um lado, de modo a ler melhor o título, tirando ao mesmo tempo um maço de cigarros king-size do bolso do quimono. "*O coração é um andarilho no outono*", ela leu, refletiu, em voz alta. "Título diferente."

A reação que veio de trás da cortina do chuveiro foi um quase nada atrasada, mas encantada. "É o quê? É um título o quê?"

A sra. Glass já estava de guarda alta. Ela recuou e se reacomodou, cigarro aceso na mão. "Dife*ren*te, eu disse. Eu não disse que era *lindo* nem nada, então nem —"

"Ahh, mas credo. Tem que acordar bem cedinho se for pra fazer alguma coisa classuda de verdade passar sem você perceber, né, Bessie? Você sabe o que é o coração, Bessie? Você quer saber o que é o seu coração? *O seu coração*, Bessie, é uma garagem de outono. Que tal esse título sonoro, hein? Meu Deus, muita gente — muita gente *mal informada* — acha que o Seymour e o Buddy são os únicos homens de letras da porcaria dessa família aqui. Quando eu *penso*, quando eu sinto um minuto pra pensar na prosa sensível, e em garagens, eu jogo fora cada um dos dias da minha —"

"Tudo bem, tudo bem, rapazinho", a sra. Glass disse. Descontado seu gosto por títulos de roteiros de televisão, ou sua estética em geral, uma centelha lhe tocava os olhos — apenas uma centelha, mas centelha mesmo assim — de um deleite de gourmet, ainda que perverso, pelo estilo de agressividade de seu filho mais jovem, e seu único filho bonito. Por uma fração de segundo, esse deleite tomou o lugar da cara generalizada de fadiga e, diretamente, preocupação com algo específico que ela exibia desde que tinha entrado no banheiro. Contudo, ela quase imediatamente voltou à defensiva: "O que que tem o título? Ele *é* bem diferente. Você! Você não acha nada diferente nem bonito! Eu nunca ouvi você dizer —".

"*O quê?* Quem é que não acha? O que exatamente eu não acho bonito?" Uma pequena marola soou detrás da cortina, como se subitamente um golfinho algo delinquente estivesse brincando. "Escuta, eu não ligo pro que você diz da minha raça, da minha crença ou da minha religião, gordota, mas não venha me dizer que eu não sou sensível à beleza. É o meu calcanhar de aquiles, e não se esqueça disso. Pra mim, *tu*do é bonito. É você me pôr na frente de um pôr do sol cor-de-rosa que eu fico de joelho mole, meu Deus. Qual*quer* coisa. *Peter Pan.* Antes da cortina abrir no *Peter Pan*, eu já virei uma porcaria de uma poça de lágrimas. E você tem a audácia de tentar me dizer que eu sou —"

"Ah, cala a boca", a sra. Glass disse distraída. Ela deu um imenso suspiro. Então, com uma expressão tensa, tragou fundo o cigarro e, soltando a fumaça pelas narinas, disse — ou melhor, entrou em erupção, "Ah, como eu *queria* saber o que fazer com aquela menina!". Respirou fundo. "Eu estou absolutamente no fundo do *poço*." Lançou um olhar de raio X para a cortina do chuveiro. "Ninguém aqui serve pra ajudar. Ninguém mesmo! O teu *pai* nem gosta de *falar* de uma coisa dessas. Você sabe disso! Ele também se preocupa, claro — eu conheço aquela cara que ele faz —, mas ele simplesmente não enfrenta as coisas." A boca da sra. Glass se estreitou. "Ele nunca enfrentou coisa alguma desde que a gente se conhece. Ele acha que qualquer coisa es-*tra*nha ou desagra*dá*vel vai simplesmente desaparecer se ele ligar o rádio e algum bocó começar a *cantar*."

Uma única risada rugida veio do confinado Zooey. Mal era possível distingui-la de sua gargalhada, mas *havia* uma diferença.

"Bom, mas ele acha mesmo!", a sra. Glass insistiu, sem ver graça. Ela se inclinou para a frente. "Você quer saber o que eu acho de verdade?", perguntou. "*Quer?*"

"Bessie. Pelo amor de Deus. Você vai me dizer de qualquer jeito, então que diferença faz se eu —"

"Eu acho de verdade — e é *sério* isso agora —, eu acho de ver*da*de que ele vive na esperança de um dia ouvir vocês todos no rádio de novo. Sem brincadeira." A sra. Glass respirou fundo novamente. "Toda vez que o teu pai liga o rádio, eu acho de verdade que ele tem esperança de sintonizar no *É uma Sábia Criança* e ouvir vocês todos, *um por um*, respondendo perguntas de novo." Ela comprimiu os lábios e se deteve, inconscientemente, para uma ênfase adicional. "E eu estou falando de vocês todos", ela disse, e abruptamente sentou um pouco mais ereta. "Isso inclui o Seymour e o Walt." Ela deu uma tragada curta mas volumosa no cigarro. "Ele vive integralmente no passado. Mas integralmente. Ele mal *assiste* televisão hoje, a não ser que *você* esteja em alguma coisa. E não ria, Zooey. Não tem graça."

"Mas quem é que está rindo, meu Deus do céu?"

"Bom, mas é verdade! Ele não tem a menor noção de que alguma coisa não está bem *mesmo* com a Franny. Mas nem a menor! Logo depois do jornal das onze ontem de noite, o que você acha que ele me perguntou? Se eu achava que a Franny podia querer uma tange*ri*na! A menina está ali deitada há horas chorando que nem uma condenada se você diz buu na frente dela, e o teu pai querendo saber se talvez ela não aceite uma tangerina. Me deu vontade de matar. A próxima vez que ele —"

A sra. Glass se interrompeu. Deu uma espiada na cortina do chuveiro. "Qual é a graça?", demandou.

"Nada. Nada, nada, nada. Gostei da tangerina. Tudo bem, quem mais não serve pra ajudar? Eu. O Les. O Buddy. Quem mais? Abra o seu coraçãozinho pra mim, Bessie. Não seja reticente. Esse é que é o problema da nossa família — a gente não se abre."

"Ah, você é mais engraçado que um aleijão, rapazinho", a sra. Glass disse. Ela parou um segundo para colocar uma mecha solta de cabelo dentro da rede. "Ah, como eu *queria* poder falar uns minutinhos com o Buddy naquele telefone maluco. A única pessoa que supostamente *sabe* dessa coisa doida." Ela refletiu, com aparente rancor. "Desgraça pouca é bobagem." Bateu a cinza do cigarro na palma da mão esquerda. "A Boo Boo só volta dia 10. Pro Waker eu ia ter *medo* de contar, isso se eu soubesse um jeito de *conseguir* falar com ele. Nunca vi uma família igual a essa. Sério. Dizem que vocês são tão inteli*gen*tes e tudo mais, e ninguém serve pra ajudar na hora do vamos ver. Ninguém. Eu só estou meio cansada de —"

"Vamos ver o *quê*, meu Deus do céu? Que hora do vamos ver? O que que você quer que a gente faça, Bessie? Ir lá cuidar da vida da Franny no lugar dela?"

"Pode parar com isso já! Ninguém está falando dos outros cuidarem da *vida* dela. Eu simplesmente ia achar bom se al*guém* entrasse naquela sala e descobrisse o que está acontecendo, *isso* é que eu ia achar bom. Eu queria saber quando exatamente aquela menina pretende voltar pra universidade e terminar o *ano*. Queria saber exatamente quando ela pretende pôr alguma coisa minimamente *só*lida na barriga. Ela não come praticamente nada desde que chegou em casa sábado de noite — mas nada mesmo! Eu tentei — não tem nem meia hora —, tentei fazer ela aceitar uma bela de uma xícara de caldo de galinha. Ela tomou exatamente dois goles, e *pronto*. Ela vomi*tou* tudo que eu dei pra ela comer ontem, praticamente." A voz da sra. Glass parou só o suficiente para reabastecer, digamos assim. "Ela disse que talvez comesse um cheesebúrguer mais tarde. Mas que história é essa de cheese*búr*guer? Pelo que eu entendi, ela está praticamente vivendo à base de cheesebúrguer e Coca-Cola desde o começo do semestre. É isso que dão pra uma moça na universidade hoje em dia? De *uma* coisa eu sei. Eu é que não vou alimentar uma mocinha que está acabada daquele jeito com uma comida que nem é —"

"É assim que se fala! Que seja caldo de galinha ou nada. Isso que é marcar posição. Se ela decidiu de vez que vai ter um colapso nervoso, o mínimo que a gente pode fazer é não deixar ela ter o tal colapso em paz."

"Só não me venha com essas res*pos*tas, rapazinho — Ah, essa sua boca! Pro seu go*ver*no, eu não acho que seja totalmente impossível que o tipo de comida que aquela menina anda pondo no organismo não tenha muito a ver com toda essa coisa doida. Até quando ela era *criança* você praticamente tinha que forçar aquela menina até a encostar nas verduras ou em qualquer coisa que fosse *boa* pra ela. Não tem como ficar maltratando o corpo sem parar, entra ano, sai ano — por mais que você tenha outra opinião."

"Você está completamente certa. Você está completamente certa. É atordoante ver esse jeito que você tem de pular direto bem no centro da questão. Eu estou que é só arrepio aqui... Meu Deus, você é um exemplo. Você me motiva, Bessie. Sabe o que você fez? Você percebe o que fez? Você acaba de dar uma guinada original, nova e *Bíblica* nessa porcaria toda. Eu escrevi quatro trabalhos sobre a Crucifixão na universidade — cinco, na verdade — e cada um deles me deixou quase louco de preocupação porque eu achava que ainda estava faltando alguma coisa. Agora eu sei o que era. Agora ficou claro pra mim. Eu estou enxergando Cristo sob uma *luz completamente nova*. Aquele fanatismo nefasto. Aquela grosseria contra os fariseus simpáticos, sãos, conservadores e pagadores de impostos. Ah, como é empolgante! Com o teu estilo simples, direto e preconceituoso, Bessie, você acertou a nota central que faltava para todo o Novo Testamento. *Dieta inadequada*. Cristo vivia de cheeseburguer e Coca-Cola. Até onde a gente possa saber, ele deve ter alimentado as multi—"

"*Pode ir parando com isso já*", a sra. Glass interrompeu, com voz calma mas perigosa. "Ah, como eu queria pôr uma fralda nessa tua boca!"

"Puxa, que peninha. Eu só estou tentando manter o nível da nossa conversinha de banheiro."

"Você é tão engraça*di*nho. Ah, como você é engraçadinho! Acon*te*ce, rapazinho, que eu não considero a tua irmã mais nova exatamente sob a mesma luz do Senhor. Eu posso ser es*tra*nha, mas acontece que não considero. Acontece que eu não vejo comparação nenhuma entre o *Senhor* e uma universitária nervosa e cansada que andou lendo livros demais sobre religião e tudo isso! Você certamente conhece a tua irmã tão bem quanto eu — ou *devia*. Ela é impressionável de*mais* e sempre foi, e você sabe mais do que bem!"

O banheiro ficou curiosamente silencioso por um momento.

"Mãe? Você está sentada aí? Eu estou com uma sensação terrível de que você está sentada aí com uns cinco cigarros acesos ao mesmo tempo. Está mesmo?" Ele ficou esperando. A sra. Glass, no entanto, preferiu não responder. "Eu *não quero* você sentada aí, Bessie. Eu queria sair da porcaria dessa banheira... Bessie? Está me ouvindo?"

"Estou, estou sim", a sra. Glass disse. Uma renovada onda de preocupação tinha passado pelo rosto dela. Inquieta, endireitou as costas. "Ela está com aquele doido do Bloomberg deitado lá com ela no sofá", ela disse. "Nem faz bem pra *saúde*, isso." Deu um poderoso suspiro. Por vários minutos ela esteve segurando as cinzas do cigarro na concha da mão esquerda. Estendeu agora o braço, sem exatamente ter que levantar, e esvaziou a mão no cesto de lixo. "Eu *não sei* o que eu devia fazer", anunciou. "Simplesmente não sei, e pronto. A casa está completamente virada do avesso. Os pintores já quase aca*ba*ram o quarto dela, e vão querer entrar na sala de estar imediata*men*te depois do almoço. Eu não sei se *acordo* a menina ou não. Ela praticamente não *dormiu*. Eu estou simplesmente perdendo a cabeça. Você sabe quanto tempo *faz* que eu não tenho a liber*da*de de receber os pintores aqui no apartamento? Quase *vin*—"

"Os pintores! Ah! Eis que surge a aurora. Eu tinha esquecido completamente dos pintores. Escuta só, por que você não convidou os pintores pra entrar aqui também? Tem espaço de *sobra*. Que porcaria de anfitrião eles devem achar que eu sou, que não chamo todo mundo pro banheiro quando estou —"

"Só fique quieto um minuto, rapazinho. Eu estou pensando."

Como que obedecendo, Zooey abruptamente passou a fazer uso do seu paninho de banho. Por um intervalo bem considerável, o vago ruído de seu atrito foi o único som no banheiro. A sra. Glass, sentada a dois ou três metros da cortina do chuveiro, ficou encarando o piso ladrilhado e o tapetinho azul junto da banheira. Seu cigarro já estava no último centímetro. Ela o segurava entre dois dedos da mão direita. Nitidamente, seu jeito de segurar o cigarro tendia a enviar a alguma espécie de inferno literário a primeira e vigorosa (e ainda perfeitamente sustentável) impressão que se pudesse ter, de que um invisível xale dublinense lhe cobria os ombros. Seus dedos não apenas eram de um comprimento e de uma elegância extraordinários — como, de maneira muito generalizante, não seria de esperar dos dedos de uma mulher semirrobusta — mas apresentavam, por assim dizer, um tremor de aparência algo imperial; uma rainha deposta dos Bálcãs ou uma cortesã favorita aposentada podiam ter exibido tão elegante tremor. E essa não era a única contradição ao tema do xale negro dublinense. Havia o fato digno de arregalar olhos que eram as pernas de Bessie Glass, bonitas segundo qualquer critério de avaliação. Eram as pernas de alguém que um dia foi uma beleza pública e largamente reconhecida, uma atriz de teatro de revista, dançarina, uma levíssima dançarina. Agora estavam cruzadas, enquanto ela ficava ali sentada encarando o tapetinho, esquerda sobre a direita, com um chinelinho branco surrado com cara de quem podia cair daquele pé estendido a qualquer segundo. Os pés eram extraordinariamente pequenos, os tornozelos, ainda esbeltos, e, o que talvez fosse mais surpreendente, as panturrilhas eram ainda firmes e nitidamente nunca tinham sido calombudas.

Um suspiro muito mais fundo que o normal — quase, parecia, parte da própria força vital — de repente saiu da sra. Glass. Ela levantou e levou o cigarro até a pia, deixou a água fria correr sobre ele, então largou o toco apagado no cesto de lixo e sentou de novo. O feitiço de introspecção que havia lançado sobre si mesma ainda não tinha sido quebrado, como se ela nem tivesse levantado de onde estava sentada.

"Eu vou sair daqui em coisa de três segundos, Bessie! Eu estou avisando em tempo hábil. Que tal perceber a hora de se retirar, minha filha?"

A sra. Glass, que tinha voltado a encarar o tapetinho azul, fez distraidamente que sim com a cabeça quando ouviu aquele "tempo hábil". E no mesmo instante, mais que apenas da boca para fora, caso Zooey tivesse visto o rosto dela, e especialmente os olhos, ele podia ter tido um vigoroso impulso, passageiro ou não, de rever, reconstruir ou rebatizar em grande parte sua metade da conversa transcorrida entre os dois — de temperar, amaciar. Por outro lado, pode ser que não. Era coisa muito tênue, em 1955, conseguir uma interpretação totalmente plausível do rosto da sra. Glass, especialmente daqueles seus imensos olhos azuis. Onde antes, alguns anos antes, apenas seus olhos já podiam dar (fosse às pessoas fosse a tapetinhos de banheiro) a notícia de que dois de seus filhos haviam morrido, um por suicídio (seu filho preferido, o mais intrincadamente calibrado, o mais bondoso) e um na Segunda Guerra Mundial (seu único filho realmente alegre) — onde antes só os olhos de Bessie Glass já podiam relatar tudo isso, com uma eloquência e uma aparente empolgação por detalhes que nem seu marido nem nenhum de seus filhos adultos ainda vivos aguentava contemplar, e muito menos assimilar, agora, em 1955, ela podia muito bem usar aquele mesmíssimo aparato céltico para dar a notícia, normalmente na porta da frente, de que o entregador não tinha trazido o pernil de cordeiro a tempo para o jantar ou de que o casamento de alguma longínqua estrela de Hollywood estava indo para o vinagre.

 Ela acendeu abruptamente outro cigarro king-size, deu uma tragada, então se pôs de pé, soltando fumaça. "Já volto", ela disse. A declaração soou, de modo inocente, como uma promessa. "Só me faça o favor de usar o tapete quando sair", acrescentou. "É pra isso que ele está aí." Ela saiu do banheiro, fechando bem a porta.

 Era mais ou menos como se, depois de passar dias numa doca improvisada, o *Queen Mary* tivesse partido, digamos, de Walden Pond, com a mesma imprevisibilidade e a mesma perversidade de quando havia chegado. Detrás da cortina do chuveiro, Zooey fechou os olhos por alguns segundos, como se sua própria embarcaçãozinha estivesse perigosamente adernada na esteira do grande navio. Então puxou a cortina e ficou olhando a porta fechada. Era um olhar pesado, e alívio não era de fato grande parte dele. Entre várias outras coisas, era o olhar, de maneira não tão paradoxal, de um fã de privacidade que, depois de ter sua privacidade invadida, não aprova exatamente a ideia de que o invasor simplesmente vá embora, *assim*, sem mais nem menos.

Nem cinco minutos depois, Zooey, com o cabelo molhado e penteado, estava descalço diante da pia, usando calças de tecido sharkskin cinza-escuro sem cinto, com uma toalha de rosto jogada nos ombros nus. Um ritual pré-barba já estava em execução. A persiana tinha sido erguida pela metade; a porta do banheiro estava entreaberta para deixar o vapor sair e desembaçar os espelhos; um cigarro estava aceso, tinha sido tragado e colocado a uma distância cômoda, na prateleira de vidro jateado que ficava embaixo do espelho do armário de remédios. Naquele momento, Zooey tinha acabado de terminar de espremer o creme de barba num pincel. Pôs o tubo de creme, sem recolocar a tampa, em algum lugar do fundo esmaltado, longe dos olhos. Passou a palma da mão de um lado para outro pela face do espelho do armário de remédios com um som agudo, tirando quase todo o embaçado. Então começou a passar a espuma no rosto. Sua técnica para isso era bastante incomum, embora compartilhasse do espírito de sua técnica para efetivamente fazer a barba. Ou seja, apesar de olhar para o espelho enquanto passava espuma, ele não olhava a direção que o pincel seguia, mas, em vez disso, olhava direto para os próprios olhos, como se seus olhos fossem território neutro, uma terra de ninguém numa guerra particular que vinha travando contra o narcisismo desde seus sete ou oito anos de idade. Àquela altura, quando estava com vinte e cinco, o pequeno estratagema podia muito bem ser mero reflexo, exatamente como um jogador veterano de beisebol, na hora de rebater, bate o taco nas travas do sapato mesmo que não precise. Ainda assim, alguns minutos antes, quando penteava o cabelo, ele tinha feito isso com a menor ajuda possível do espelho. E antes disso tinha dado jeito de se enxugar diante de um espelho de corpo inteiro sem nem mesmo dar uma espiada.

Tinha acabado de terminar de passar a espuma no rosto quando sua mãe de repente apareceu no espelho de barbear. Ela estava na porta, uns dois metros atrás dele, com uma das mãos na maçaneta — um retrato de espúria hesitação quanto a fazer outra entrada plena no cômodo.

"Ah! Mas que surpresa agradável e graciosa!", Zooey disse para o espelho. "Entre, entre!" Ele riu, ou soltou seu rugido, então abriu o armário de remédios e pegou seu aparelho de barba.

A sra. Glass avançou, meditativa. "Zooey…", ela disse. "Eu estava pensando." Seu assento tradicional ficava exatamente à esquerda de Zooey. Ela começou a se acomodar ali.

"Não sente! Deixa eu primeiro assimilar sua presença", Zooey disse. Sair da banheira, vestir as calças e pentear o cabelo tinha aparentemente melhorado seu humor. "Não é sempre que temos visitantes na nossa humilde capela, e quando eles vêm, nós tentamos fazer com que se sintam —"

"Só fique quietinho um minuto", a sra. Glass disse com firmeza, sentando. Ela cruzou as pernas. "Eu estava pensando. Você acha que ia adiantar tentar falar com o Waker? Eu pessoalmente *não* acho, mas e você? Assim, na minha opinião aquela menina precisa é de um bom psiquiatra, não de um padre e tal, mas eu posso estar *errada*."

"Ah, não. Não, não. *Errada*, não. Eu nunca soube de você estar *errada*, Bessie. Suas ideias sempre são falsas ou exageradas, mas você nunca está *errada* — isso não." Com grande satisfação, Zooey molhou a lâmina e começou a fazer a barba.

"Zooey, eu estou te *perguntando* — só pare com essas gracinhas, por favor. Você acha ou não acha que eu devia falar com o Waker? Eu podia ligar praquele bispo Pinchot ou sei lá como ele se chama, e ele podia provavelmente me dizer pra onde eu podia pelo menos mandar um *telegrama* pra ele, se ele ainda estiver em algum barco maluco." A sra. Glass estendeu o braço, puxou o cesto de lixo metálico mais para perto e o usou como cinzeiro para o cigarro aceso que tinha trazido. "Eu *perguntei* pra Franny se ela queria conversar com ele por telefone", ela disse. "*Se* eu conseguisse achar o sujeito."

Zooey enxugou rapidamente a lâmina. "O que foi que ela disse?", ele perguntou.

A sra. Glass ajustou sua posição no assento com uma pequena manobra evasiva para a direita. "Ela *diz* que não quer conversar com nin*guém*."

"Ah. Mas a gente sabe que não é verdade, não é mesmo? A gente não vai aceitar uma resposta direta dessas sem reagir, não é mesmo?"

"Pro seu governo, rapazinho, eu não vou aceitar resposta nenhuma de nenhum tipo que aquela menina me dê hoje", a sra. Glass disse, reunindo suas forças. Ela se dirigiu ao perfil espumado de Zooey. "Se você está com uma moça fechada na sala de casa chorando e resmun*gan*do sozinha há quarenta e oito horas, você não vai querer que ela dê res*pos*tas."

Zooey, sem comentar, continuou fazendo a barba.

"Responda a minha pergunta, por favor. Você acha ou não acha que eu devia tentar encontrar o Waker? Pra te ser sincera, eu fico com *medo*. Ele é tão emotivo — por mais que seja padre e tal. Se você disser pro Waker que está com cara de *chuva*, ele fica com os olhos cheios de lágrimas."

Zooey dividiu com o reflexo de seus próprios olhos no espelho a diversão que esse comentário lhe causava. "Você não é uma causa perdida, Bessie", ele disse.

"Bom, se eu não consigo telefonar pro Buddy, nem *você* quer ajudar, eu vou ter que fazer al*gu*ma coisa", a sra. Glass disse. Parecendo vastamente preocupada, ela ficou ali fumando por um longo momento. Então: "Se fosse alguma coisa estritamente católica, ou desse gênero, eu podia eu mesma ajudar. Eu não esqueci *tu*do. Mas nenhum dos meus filhos foi cri*ado* como católico, e eu não sei mesmo —".

Zooey a interrompeu. "Você está mirando errado", ele disse, virando para ela seu rosto espumado. "Você está mirando errado. Muito errado. Eu te falei isso ontem de noite. Esse negócio da Franny é estritamente não sectário." Molhou a lâmina e continuou fazendo a barba. "Só acredite em mim, por favor."

A sra. Glass encarou direta e intensamente seu perfil, como se ele pudesse dizer algo mais, mas ele não disse. Por fim, ela suspirou, e disse, "Eu ia *qua*se ficar satisfeita por algum tempo se conseguisse tirar o horroroso do Bloomberg do sofá com ela. Não é nem higi*ê*nico". Ela deu uma tragada no cigarro. "E eu *não sei* o que que eu vou fazer com os pintores. Nesse exato momento eles já praticamente acabaram o quarto dela, e vão ficar lou*qui*nhos pra entrar na sala."

"Sabe, eu sou o único dessa família que não tem problemas", Zooey disse. "E sabe por quê? Porque toda vez que eu fico triste, ou *intrigado*, o que eu faço é chamar um pessoal pra vir me visitar no banheiro, e — bom, a gente passa tudo a limpo, e pronto."

A sra. Glass pareceu prestes a se divertir com o método de Zooey para tratar dos problemas, mas ela estava em seu dia de suprimir toda e qualquer forma de diversão. Encarou-o por um momento, e então, lentamente, uma nova expressão se formou em seus olhos — engenhosa, ardilosa e um pouquinho desesperada. "Sabe, eu não sou tão burra quanto você pensa, rapazinho", ela disse. "Vocês todos são tão cheios de segre*di*nhos, esses meus filhos. Acontece, se é que você quer saber, que eu sei mais do que está por trás disso do que você pensa."

Para dar ênfase, com os lábios apertados, ela espanou imaginários vestígios de tabaco do colo do quimono. "Pro seu governo, acontece que eu sei que aquele livrinho que ela ficou carregando pela casa toda ontem está na *raiz* inteirinha dessa coisa toda."

Zooey se virou e olhou para ela. Tinha um sorrisinho no rosto. "Como foi que você percebeu?", ele disse.

"Nem se preo*cupe* em saber como foi que eu percebi", a sra. Glass disse. "Se é que você quer saber, o Lane veio aqui *várias* vezes. Ele está terrivel*men*te preocupado com a Franny."

Zooey enxaguou a lâmina. "Quem diabos é esse Lane?", ele perguntou. Inequivocamente, tratava-se da pergunta de um homem ainda muito jovem que, vez por outra, não se sente inclinado a admitir que sabe o primeiro nome de certas pessoas.

"Você sabe mais do que bem quem ele é, rapazinho", a sra. Glass disse com ênfase. "Lane Cou*tell*. Ele *só* está namorando a Franny há um ano inteirinho. Você conversou com ele pelo menos meia dúzia de vezes que *eu* saiba, então não venha fingir que não sabe quem ele é."

Zooey soltou uma gargalhada que era um verdadeiro rugido, como se claramente adorasse ver qualquer impostação desmascarada, inclusive a sua. Continuou fazendo a barba, ainda encantado. "A expressão é 'saindo com' a Franny", ele disse, "não 'namorando' a Franny. Por que é que você está tão fora de moda, Bessie? Por que será? Hein?"

"Nem se preocupe que eu esteja fora de moda. Você pode é querer saber que ele ligou cinco ou seis vezes desde que a Franny chegou — duas hoje de manhã antes até do senhor acor*dar*. Ele foi um doce, e está terrivelmente preocupado e a*fli*to com a Franny."

"Não que nem certas pessoas por aí, né? Bom, odeio te decepcionar, mas eu já passei horas com ele e o sujeito não tem nada de doce. É um vaselina, um fingido. Aliás, alguém por aqui andou depilando a axila ou a porcaria das pernas com a minha lâmina. Ou alguém *derrubou*. Está tudo torto aqui na —"

"Ninguém encostou na sua lâmina, rapazinho. Por que ele é vaselina e fingido, se é que se pode saber?"

"Por quê? Porque sim, e pronto. Provavelmente porque compensa. Uma coisa eu posso te dizer. Se ele está preocupado mesmo com a Franny, aposto que é pelos motivos mais asquerosos. Ele provavel*men*te está preocupado porque não gostou de sair da porcaria do jogo de futebol americano antes de acabar — preocupado porque provavelmente deixou transparecer que não gostou e sabe que a Franny é inteligente e há de ter percebido. Eu consigo até ver o filhinho da puta enfiando a Franny num táxi e depois num trem e pensando se ainda consegue voltar pra ver a segunda metade do jogo."

"Ah, é impossível conversar com você! Absolutamente impossível. Não sei nem por que eu me dou ao trabalho. Você é igualzinho ao Buddy. Você acha que todo mundo faz tudo por algum mo*tiv*o dife*ren*te. Não acredita que alguém ligue pra outro alguém sem ter algum mo*tiv*o nojento e egoísta pra isso."

"Exatamente — noventa por cento das vezes. E esse otário desse Lane não é a exceção, pode ter certeza. Escuta, eu fiquei vinte horrendos minutos conversando com a porcaria desse sujeitinho uma noite enquanto a Franny se arrumava pra sair, e eu te digo que ele é um zero à esquerda." Ele refletiu, detendo o movimento da lâmina. "Que diabo mesmo que ele estava me dizendo? Alguma coisa toda *encantadora*. O que era mesmo?... Ah, sim. *Sim*. Ele estava me dizendo que costumava ouvir a Franny e eu toda semana quando era pequeno — e sabe o que ele ficou fazendo, o filhinho da puta? Ele ficou enchendo a *minha* bola às custas da Franny. Absolutamente *sem motivo*, a não ser o de fingir de simpático e exibir o seu grande intelecto de universitário de elite." Zooey mostrou a língua e imitou com alguma discrição o ruído de um peido. "Que se danem", ele disse, e voltou a usar a lâmina. "Que se danem, por mim, todos os carinhas elegantes que editam as revistas literárias da faculdade. Prefiro mil vezes um salafrário honesto."

A sra. Glass dirigiu ao perfil dele um olhar longo e estranhamente compreensivo. "Ele é um moço que ainda nem saiu da universidade. E você deixa as pessoas nervosas, rapazinho", ela disse — num tom dos mais contidos, para ela. "Você ou gosta da pessoa ou não gosta. Se gosta, aí você fala sem parar e ninguém consegue abrir a boca. Se *não* gosta da pessoa — que é o que mais acontece —, aí você só fica sentado como a *própria* figura da morte e deixa a pessoa se esganar de tanto falar. Eu já vi você fazer isso."

Zooey se virou completamente para olhar para a mãe. Ele se virou e olhou para ela, nesse momento, exatamente da mesma maneira como, num ou noutro momento, num ou noutro ano, todos os seus irmãos e irmãs (e especialmente seus irmãos) tinham se virado e olhado para ela. Não apenas com um pasmo concreto diante do surgimento de uma verdade, fragmentária ou não, em meio ao que muitas vezes parecia ser uma massa impenetrável de preconceitos, clichês e platitudes. Mas com admiração, afeto e, não menos importante, gratidão. E, estranhamente ou não, a sra. Glass invariavelmente aceitava esse "tributo" quando ele vinha, lindamente, sem nem pestanejar. Ela devolvia com graça e modéstia o olhar do filho ou da filha que se virava para ela. Agora apresentava essa face graciosa e modesta para Zooey. "É verdade", ela disse, sem acusação na voz. "Nem você nem o Buddy sabem falar com gente de quem vocês não gostam." Ela repensou aquilo. "Gente que vocês não amam, no fundo", corrigiu. E Zooey continuou olhando fixo para ela, sem se barbear. "Não é certo", ela disse — com gravidade e tristeza. "Você está ficando tão igual ao que o Buddy era com a sua idade. Até seu pai percebeu. Se você não gosta da pessoa em dois minutos, desiste dela pra sempre." A sra. Glass dirigiu, distraída, o olhar para o tapetinho, então se virou novamente para Zooey e lhe deu um longo olhar, dotado de pouquíssima, quase nenhuma, lição de moral. "Por mais que você ache o contrário, rapazinho", ela disse.

Zooey devolveu com firmeza o olhar dela, então sorriu e se virou para examinar a barba no espelho. A sra. Glass, de olho nele, suspirou. Ela se abaixou e apagou seu cigarro na parte de dentro do cesto de lixo de metal. Acendeu um novo cigarro quase imediatamente, e disse, com o gume de que era capaz, "Enfim, a sua ir*mã* diz que ele é um rapaz brilhante. Esse Lane".

"Isso é só o sexo falando, minha filha", Zooey disse. "Eu conheço essa voz. Ah, como eu conheço essa voz!" O último vestígio de espuma tinha sido raspado do rosto e do pescoço dele. Ele tateou o pescoço criticamente com uma das mãos, então pegou o pincel de barba e começou a espumar, de novo, pontos estratégicos do rosto. "Tudo bem, e o que foi que o Lane disse no telefone?", ele perguntou. "Segundo o Lane, o que está por trás dos problemas da Franny?"

A sra. Glass se inclinou tensa e avidamente para a frente, e disse, "Bom, o *Lane* diz que tudo tem a ver — essa coisa toda inteirinha — com aquele livrinho que ela não larga nunca. Você sabe. Aquele livrinho que ela ficou lendo ontem sem parar e arrastando com ela pra todo lugar aonde ela —".

"Eu conheço aquele livrinho. Pode continuar."

"Bom, ele diz, o Lane diz, que é um livrinho terrivelmente religioso — fa*ná*tico e tudo mais — e que ela pegou o livro na biblioteca da universidade e agora ela está achando que talvez ela esteja —" A sra. Glass se interrompeu. Zooey tinha se virado para ela num estado de alerta algo ameaçador. "Que *foi*?", ela perguntou.

"Ele disse que ela pegou o livro onde?"

"Na biblioteca. Da universidade. Por quê?"

Zooey sacudiu a cabeça, e se virou de novo para a pia. Largou o pincel de barba e abriu o armário de remédios.

"Que foi?", a sra. Glass perguntou. "O que que tem isso? Por que essa cara, rapazinho?"

Zooey não respondeu até abrir uma caixinha nova de lâminas. Então, desmontando o aparelho de barba, disse, "Você é tão burra, Bessie". Ele ejetou a lâmina do aparelho.

"Por que é que eu sou tão burra? Aliás, você acabou de colo*car* uma lâmina nova ontem."

Zooey, rosto inexpressivo, prendeu uma lâmina nova no aparelho e começou sua segunda passada.

"Eu te fiz uma pergunta, rapazinho. Por que é que eu sou tão burra? Ela *não pegou* aquele livrinho na biblioteca da universidade, então?"

"Não, ela não pegou, Bessie", Zooey disse, fazendo a barba. "Aquele livrinho se chama *O peregrino continua sua jornada*, e é a sequência de outro livrinho, chamado *Relatos de um peregrino russo*, que ela também está arrastando de um lado pro outro, e ela pegou *os dois* livros no antigo quarto do Seymour e do Buddy, onde eles ficam em cima da mesa do Seymour desde que eu me conheço por gente. Jesus meu Deus todo-poderoso."

"Bom, não venha me xingar por causa disso! Será que é tão *terrível* pensar que ela podia ter pego na biblioteca da universidade e simplesmente trazido pra —"

"É! *É* terrível. *É* terrível se os dois livros estão largados em cima da porcaria da mesa do Seymour faz *anos*. É deprimente."

Um tom inesperado, singularmente não combativo, surgiu na voz da sra. Glass. "Eu não entro naquele quarto se eu puder evitar, e você sabe", ela disse. "Eu não fico olhando as — as coisas antigas do Seymour."

Zooey disse, rapidamente, "Tudo bem, desculpa". Sem olhar para ela, e apesar de não ter exatamente terminado sua segunda passada, tirou a toalha dos ombros e removeu do rosto a espuma que restava. "Vamos só deixar esse assunto de lado um pouquinho", ele disse, e jogou a toalha, que caiu em cima do aquecedor; ela aterrissou na folha de rosto do seu manuscrito Rick-Tina. Ele desaparafusou o aparelho de barba e o segurou sob a torneira de água fria.

Seu pedido de desculpas tinha sido legítimo, e a sra. Glass sabia, mas ela nitidamente não conseguiu resistir à ideia de tirar vantagem dele naquela situação, talvez em função de sua raridade. "Você não é uma pessoa bondosa", ela disse, olhando para ele, que enxaguava o aparelho. "Você não tem nada de bondoso, Zooey. Você já tem idade pra pelo menos tentar ter alguma bondade quando sente vontade de agir de algum jeito cruel. O Buddy, pelo menos, quando ele está —" Ela simultaneamente segurou a respiração e deu um grande salto quando o aparelho de Zooey, com lâmina nova e tudo, caiu com estrondo no cesto de lixo de metal.

É bem provável que Zooey não tenha tido a intenção de arremessar o aparelho de barba no cesto de lixo, mas tenha apenas descido a mão de forma tão súbita e violenta que o aparelho lhe escapou. De qualquer maneira, era certo que ele não queria ter batido e machucado o pulso na lateral da pia. "Buddy, Buddy, *Buddy*", ele disse. "Seymour, Seymour, *Seymour*." Ele tinha se virado para a mãe, a quem o impacto do aparelho tinha espantado e posto em alerta mas não necessariamente assustado. "Eu estou tão cansado de ouvir o nome dos dois que me dá vontade de cortar o pescoço." O rosto dele estava muito pálido, mas quase sem expressão. "Essa porcaria dessa casa inteira fede a fantasma. A ideia de ser assombrado por um fantasma morto nem me incomoda tanto, mas a de ser assombrado por um fantasma morto-vivo me incomoda pra *diabo*. Como eu *queria* que o Buddy se decidisse. Ele faz tudo que o Seymour fez na vida — ou tenta fazer. Por que diabos ele não se mata e acaba com isso de uma vez?"

A sra. Glass piscou, uma única vez, e Zooey imediatamente afastou os olhos do rosto dela. Ele se abaixou e pescou o aparelho de barba no cesto de lixo. "Nós somos umas *aberrações*, nós dois, eu e a Franny", anunciou, erguendo-se de novo. "Eu sou uma aberração de vinte e cinco anos e ela é uma aberração de vinte e um, e esses dois filhos da puta são os responsáveis." Largou o aparelho na borda da pia, mas este, rebelde, escorregou pia adentro. Ele o apanhou rapidamente, e dessa vez o manteve contido pelos dedos. "Os sintomas estão um pouco mais atrasados no caso da Franny do que no meu, mas ela também é uma aberração, e não se esqueça disso. Eu te juro que era capaz de matar os dois sem nem piscar. Os grandes professores. Os grandes emancipadores. Meu Deus do céu. Eu não consigo mais nem sentar pra almoçar com um sujeito e participar de uma conversa decente. Eu fico ou tão de saco cheio ou tão profético que se o filho de uma puta tivesse algum juízo, ele acabava quebrando a cadeira na minha cabeça." Ele subitamente abriu o armário de remédios. Ficou olhando ali dentro com olhos vazios por alguns segundos, como se tivesse esquecido por que o abrira, então pôs numa das prateleiras o aparelho de barba sem secá-lo.

A sra. Glass estava sentada bem imóvel, olhando para ele, com o cigarro já bastante consumido entre os dedos. Ela o viu pôr a tampa no tubo de espuma de barba. Ele teve alguma dificuldade para encontrar a rosca.

"Não que alguém queira saber, mas eu não consigo nem sentar pra uma porcaria de uma *refeição*, até hoje, sem primeiro fazer o Voto de Bodisatva em voz baixa, e posso apostar quanto você quiser que a mesma coisa acontece com a Franny. Eles enfiaram na gente uma porcariada tão —"

"O voto de quê?", a sra. Glass interrompeu, mas cautelosamente.

Zooey pôs uma mão de cada lado da pia e inclinou o peito um pouquinho para a frente, com os olhos no panorama esmaltado.

Apesar de seu corpo exíguo, ele naquele momento pareceu disposto e capaz de enfiar a pia chão adentro. "O Voto de Bodis*a*tva", disse, e, sem rancor, fechou os olhos. "'Os seres são inume*rá*veis, faço o voto de salvá-los; os apegos são inexau*rí*veis, faço o voto de extingui-los; os portais do Darma são ilimitados, faço o voto de apreendê-los; o caminho de Buda é insuperável, faço o voto de me tor*nar* esse caminho.' É isso aí, pessoal. Eu sei que eu dou conta. Só me ponha pra jogar, treinador." Seus olhos permaneceram fechados. "Meu Deus, eu estou sussurrando isso bem baixinho em três refeições ao dia desde que tinha dez anos de idade. Eu não consigo *comer* se não disser. Uma vez tentei pular essa parte quando estava almoçando com o LeSage. Eu me engasguei com uma porcaria de um marisco minúsculo, enquanto falava." Ele abriu os olhos, fechou a cara, mas manteve sua curiosa postura. "Que tal zarpar daqui agora, Bessie?", disse. "Sério. Deixa eu terminar a porcaria das minhas abluções em paz, por favor." Seus olhos se fecharam de novo, e ele pareceu pronto a tentar de novo meter a pia chão adentro. Mesmo com a cabeça algo abaixada, uma quantidade considerável de sangue tinha lhe escapado do rosto.

"Eu queria que você se casasse", a sra. Glass disse, abrupta, melancolicamente.

Todos os membros da família Glass — Zooey certamente não menos que os outros — conheciam bem esse tipo de non sequitur da sra. Glass. Era uma espécie que florescia melhor, de modo mais sublime, no meio de uma explosão emocional exatamente como aquela. Dessa vez, no entanto, pegou Zooey basicamente no contrapé. Ele soltou um ruído brusco, fundamentalmente pelo nariz, que era ou risada ou o contrário de uma risada. A sra. Glass rápida e angustiadamente se inclinou para a frente para ver o que era. Era risada, mais ou menos, e ela se recostou, aliviada. "Bom, mas eu que*ria* mesmo", insistiu. "Por que é que você *não* se casa?"

Relaxando em sua postura, Zooey tirou um lenço dobrado do bolso da calça, o abriu com um único gesto, e então o usou para assoar o nariz uma, duas, três vezes. Guardou o lenço, dizendo, "Eu gosto demais de andar de trem. Você nunca mais consegue sentar do lado da janela depois de casar".

"Isso não é motivo!"

"É um motivo perfeito. Vai embora, Bessie. Me deixa em paz aqui. Por que você não vai dar um belo de um passeio de elevador? Você vai queimar os dedos, aliás, se não apagar essa porcaria desse cigarro."

A sra. Glass apagou de novo o cigarro na parte interna do cesto de lixo. Ela então ficou sentada em silêncio por um pequeno intervalo, sem pegar o maço de cigarros e os fósforos. Ficou vendo Zooey pegar um pente e repartir o cabelo. "Você está precisando cortar o ca*be*lo, rapazinho", ela disse. "Já está ficando parecido com aqueles *hún*garos malucos ou sei lá o quê, quando saem de uma pis*ci*na."

Zooey sorriu visivelmente, continuou se penteando por alguns segundos, então subitamente se virou. Ele balançou brevemente o pente que apontava para a mãe. "Mais uma coisinha. Antes que eu esqueça. E me *escute* agora, Bessie", ele disse. "Se você tiver mais alguma ideia, que nem ontem de noite, de ligar pra porcaria do psicanalista do Philly Byrnes por causa da Franny, só me faça um negócio — eu só te peço isso. Só pense no que a análise fez pelo Seymour." Parou para dar ênfase. "Está me ouvindo? Faz isso pra mim?"

A sra. Glass imediatamente deu uma desnecessária ajeitada na rede do cabelo, então pegou seus cigarros e fósforos, mas meramente os manteve um momento na mão. "Pro seu governo", ela disse, "eu não falei que *ia* ligar pro psicanalista do Philly Byrnes, eu falei que estava pen*san*do no assunto. Em pri*mei*ro lugar, ele não é só um psicanalista qualquer. Por acaso ele é um psicanalista ca*tó*lico pratic*an*te, e eu achei que *podia* ser melhor do que só ficar sentada vendo aquela menina —"

"Bessie, eu estou te avisando, agora, cacete. Pouco me importa se ele é um veterinário budista praticante. Se você chamar algum —"

"Não precisa vir com sarcasmo, rapazinho. Eu conheço o Philly Byrnes desde que ele era um meni*ni*nho. Eu e o seu pai estivemos com os pais dele no mesmo espe*tá*culo por *anos* a fio. E por acaso eu sei com certeza que ir ao psicanalista transformou aquele menino numa pessoa completamente *no*va e maravi*lho*sa. Eu estava conversando com a —"

Zooey meteu com violência o pente no armário de remédios, então com impaciência bateu a porta do armário. "Ah, como você é burra, Bessie", ele disse. "Philly *Byrnes*. Philly Byrnes é um sujeitinho suarento e impotente que já passou dos qua*renta* e que há anos dorme com um terço e um número da *Variety* embaixo do travesseiro. A gente está falando de duas coisas que são água e vinho. Agora, me escute, Bessie." Zooey se virou todo para a mãe e olhou cuidadosamente para ela, a palma de uma das mãos no esmalte da pia, como que apoiado. "Está me escutando?"

A sra. Glass terminou de acender um novo cigarro antes de se comprometer. Então, soltando fumaça e espanando fragmentos imaginários de tabaco do colo, ela disse lúgubre, "Eu estou te escutando".

"Tudo bem. Eu estou falando *mui*to sério, agora. Se você — Me escute, agora. Se você não consegue, ou não quer pensar no Seymour, então vai lá de uma vez e chama algum psicanalista ignorante. Pode ir mesmo. Você vai lá e chama algum analista com experiência em ajustar as pessoas aos prazeres da televisão e da revista *Life* toda quarta-feira, e viagens pela Europa, e a bomba H, e as eleições pra presidente, e a primeira página do *Times*, e as responsabilidades da Associação de Pais e Mestres de Westport e Oyster Bay, e sabe Deus mais o quê de gloriosamente normal — vai lá e *faz* isso, e eu te juro, em menos de um ano a Franny vai estar ou num hos*pí*cio ou em alguma porcaria de um deserto carregando uma cruz em chamas."

A sra. Glass espanou mais alguns fragmentos imaginários de tabaco. "Tudo bem, tudo bem — não fique tão *transtornado*", ela disse. "Pelo amor de Deus. Ninguém aqui ligou pra ninguém."

Zooey abriu num tranco a porta do armário de remédios, olhou lá dentro, então tirou uma lixa de metal e fechou a porta. Ele pegou o cigarro que tinha instalado na borda da prateleira de vidro jateado e deu uma tragada, mas o cigarro estava morto. Sua mãe disse, "Toma", e lhe passou seu maço de cigarros king-size e sua caixa de fósforos.

Zooey tirou um cigarro do maço e chegou até a colocá-lo entre os lábios e acender um fósforo, mas a pressão dos pensamentos tornou impossível que ele chegasse de fato a acender o cigarro, e ele soprou o fósforo e tirou o cigarro da boca. Sacudiu de leve a cabeça, impaciente. "Eu não sei", ele disse. "Eu acho que *deve* ter um psicanalista escondido em algum lugar da cidade que ia ser bom pra Franny — fiquei pensando nisso ontem de noite." Fez uma leve careta. "Mas acontece que eu não conheço nenhum. Pra um psicanalista servir pra alguma coisa com a Franny, ia ter que ser de um tipo bem peculiar. Não sei. Ele ia ter que acreditar que foi pela graça de Deus que ele foi inspirado a estudar psicanálise, pra começo de conversa. Ia ter que acreditar que foi pela graça de Deus que não foi atropelado por uma porcaria de um caminhão ainda antes de conseguir a licença pra clinicar. Ia ter que acreditar que é pela graça de Deus que ele tem a inteligência nata *até* pra conseguir ajudar seus pacientes. Eu não conheço nenhum analista *bom* que pense desse jeito. Mas é o único tipo de psicanalista que podia servir de alguma coisa pra Franny. Se ela pegasse alguém terrivelmente freudiano, ou terrivelmente eclético, ou só terrivelmente normal — alguém que nem tivesse alguma gratid*ão* louca e misteriosa pela sua inteligência e perspicácia —, ela ia sair da análise ainda pior do que o Seymour saiu. Eu fiquei preocupado pra *diabo*, de pensar nisso tudo. Vamos só calar a nossa boquinha quanto a isso, se você não se incomoda." Ele acendeu sem pressa o seu cigarro. Então, soltando fumaça, pôs o cigarro na prateleira de vidro jateado onde o antigo cigarro morto estava, e adotou uma postura um pouco mais relaxada. Começou a passar a pontinha da lixa por sob as unhas — que já estavam perfeitamente limpas. "Se você não ficar matraqueando", ele disse, depois de uma pausa, "eu te conto do que tratam aqueles dois livrinhos que a Franny está carregando. Você está ou não está interessada? Se não estiver, eu não estou a fim de —"

"Eu *estou* interessada! *Claro* que estou interessada! O que que você acha que eu —"

"Tudo bem, só não fique matraqueando por um minutinho então", Zooey disse, e apoiou a lombar na beira da pia. Ele continuou usando a lixa. "Os dois livros são sobre um camponês russo, lá na virada do século", ele disse, no que era, apesar de sua voz implacavelmente objetiva, um tom bastante narrativo. "É um sujeitinho muito simples, muito doce, com um braço entrevado. O que, claro, é bem a cara da Franny, com aquele coraçãozinho hospitaleiro lá dela." Girou nos calcanhares, pegou o cigarro da prateleira de vidro jateado, deu uma tragada, então começou a lixar as unhas. "No começo, diz o camponesinho, ele tinha esposa e fazenda. Mas tinha um irmão pirado que incendiou a fazenda — e aí, depois, acho eu, a esposa dele morreu de uma hora pra outra. Enfim, ele sai em peregrinação. E ele tem um problema. Leu a Bíblia a vida toda, e quer saber o que significa quando ela diz, em Tessalonicenses, 'Orai sem cessar'. Esse único versículo não sai da cabeça dele." Zooey pegou de novo o cigarro, deu uma tragada, e então disse, "Tem outra frase parecida em Timóteo — 'Quero, pois, que os homens orem em todo lugar'. E o próprio Cristo, a bem da verdade, diz que os homens têm 'o dever de orar sempre, e nunca desfalecer'". Zooey por um momento usou em silêncio sua lixa, com uma expressão singularmente sisuda no rosto. "Então, enfim, ele sai em peregrinação pra encontrar um professor", ele disse. "Alguém que saiba ensinar *como* rezar incessantemente, e *por quê*. Ele caminha, caminha, caminha sem parar, de igreja em igreja e de santuário em santuário, conversando com padres e mais padres. Até que finalmente encontra um velho monge que aparentemente sabe qual é a questão. O velho monge diz a ele que a única oração que Deus aceita a qualquer momento, e que Ele 'deseja', é a Oração de Jesus — 'Senhor Jesus Cristo, tem piedade de mim'. Na ver*da*de, a oração toda é 'Senhor Jesus Cristo, tem piedade de mim, miserável pecador', mas nenhum dos iniciados nos dois livros do peregrino põe nenhuma ênfase — graças a *Deus* — na parte do pecador miserável. Enfim, o velho monge explica a ele o que vai acontecer se a oração for feita incessantemente. Ele faz o peregrino praticar algumas vezes e manda o sujeito pra casa. *E* — pra encurtar a história — depois de um tempo o pequeno peregrino fica proficiente na oração. Ele a domina. Fica exultante com a sua nova via espiritual, e sai numa jornada pela Rússia toda — por densas florestas, cidades, vilarejos, e assim por diante —, dizendo sua oração enquanto anda e falando pra todo mundo que ele encontra dizer a oração também." Zooey ergueu, bruscamente, os olhos para a mãe. "Cê tá ouvindo, sua druidesa gorda e velhusca?", ele inquiriu. "Ou está só encarando o meu rostinho lindo?"

A sra. Glass, combativa, disse, "Claro que eu estou ouvindo!".

"Tudo bem — eu não quero nenhum desmancha-prazeres por aqui." Zooey soltou uma bela gargalhada, então deu uma tragada em seu cigarro. Manteve o cigarro preso entre os dedos e continuou usando a lixa. "O primeiro dos dois livrinhos, *Relatos de um peregrino russo*", ele disse, "trata basicamente das aventuras que o pequeno peregrino tem pela estrada. Quem ele vê, o que diz a essas pessoas, o que elas dizem a ele — Ele encontra um pessoalzinho bacana pacas, diga-se de passagem. A sequência, *O peregrino continua sua jornada*, é mais uma dissertação em formato de diálogo a respeito dos porquês e praquês da Oração de Jesus. O peregrino, um professor, um monge e um tipo de eremita se encontram e discutem a coisa toda. E é só isso, na verdade." Zooey ergueu, muito brevemente, os olhos para a mãe, então passou a lixa de unhas para a mão esquerda. "O objetivo dos *dois* livrinhos, se é que você quer saber", ele disse, "é supostamente despertar em todo mundo a necessidade e os bene*fí*cios de fazer incessantemente a Oração de Jesus. Primeiro sob a supervisão de um professor qualificado — uma espécie de guru cristão —, e depois, quando a pessoa já dominou em alguma medida a oração, ela deve seguir por conta própria. E a ideia principal é que não devia ser uma coisa só pros filhos da puta bem devotos e carolas. Você pode estar roubando a caixa de coleta de esmolas da igreja, mas é pra você ficar dizendo a oração enquanto rouba. A iluminação supostamente viria *com* a oração, e não antes." Zooey fechou a cara, mas academicamente. "A ideia, no fundo, é que cedo ou tarde, completamente por conta própria, a oração sai da boca e da cabeça e vai pra um centro no coração e se torna uma função automática da pessoa, junto com os batimentos cardíacos. E aí, depois de um tempo, quando a oração já *está* automática no coração, a pessoa em teoria entra na suposta realidade das coisas. Esse tema não aparece de fato em nenhum dos dois livros, mas, em termos orientais, existem sete centros sutis no corpo, que são chamados de *chacras*, e o que fica mais intimamente ligado ao coração se chama *anahata*, que dizem que é sensível e poderoso pra diabo, e quando ele é ativado, também ativa outro desses centros, entre as sobrancelhas, chamado de *ajna* — é a glândula pineal, na verdade, ou melhor, uma aura que cerca a glândula pineal —, e aí, bingo, acontece a abertura do que os místicos chamam de 'terceiro olho'. Não é nada de novo, meu Deus do céu. A coisa não começa simplesmente ali com o pessoal do peregrino, assim. Na Índia, há sabe lá Deus quantos séculos, ele é conhecido como *japam*. *Japam* é simplesmente a repetição de um dos nomes humanos de Deus. Ou dos nomes das suas encarnações — os avatares, se você quiser ir pro sentido técnico. A ideia é que se você disser o nome por bastante tempo e com bastante regularidade e literal*men*te usando o coração, cedo ou tarde vai receber uma resposta. Não exatamente uma res*pos*ta. Uma *reação*." Zooey subitamente se virou, abriu o armário de remédios, repôs ali a lixa, e tirou um palito de laranjeira de aparência notavelmente rombuda. "Quem é que andou comendo o meu palito de laranjeira?", ele disse. Com o pulso, brevemente enxugou o suor do lábio superior, e então começou a usar o palito para empurrar a cutícula.

A sra. Glass deu uma longa tragada no cigarro, olhando para ele, então cruzou as pernas e perguntou, exigiu saber, "É isso que a Franny está supostamente fazendo? Assim, é isso aí que ela está fazendo então?".

"É o que eu imagino. Não pergunte pra mim, pergunte pra *ela*."

Veio uma pausa curta, e incerta. Então a sra. Glass perguntou abrupta e algo empolgadamente, "Quanto tempo leva pra fazer isso?".

O rosto de Zooey se acendeu de prazer. Ele se virou para ela. "Quanto tempo?", ele disse. "Ah, não demora muito. Até os pintores precisarem entrar no seu quarto. Aí uma procissão de santos e bodisatvas aparece, portando tigelas de caldo de galinha. O Hall Johnson Choir começa a cantar no fundo, e as câmeras fecham num senhorzinho simpático só com um pano na cintura contra um fundo de montanhas, céu azul e nuvens brancas, e uma expressão de paz surge no rosto de todo —"

"Tudo bem, pode *parar* com isso", a sra. Glass disse.

"Bom, meu Deus. Eu só estou tentando ajudar. Piedade. Eu não quero deixar no ar a impressão de que existem — sabe — inconveni*ên*cias envolvidas na vida religiosa. Assim, muita gente não entra nessa estrada só por achar que isso vai envolver uma certa quantidadezinha desgraçada de dedicação e perseverança — você sabe como." Estava claro que o narrador, com nítido prazer, chegava agora ao ponto alto de sua fala. Ele balançou solene o palito de laranjeira para a mãe. "Assim que nós sairmos aqui da nossa capela, eu espero que você aceite um pequeno volume que sempre admirei. Acredito que ele toque em alguns dos detalhes que discutimos na manhã de hoje. *Deus é meu hobby*. De autoria do dr. Homer Vincent Claude Pierson, Jr. Nesse livrinho, como eu acho que você vai ver, o dr. Pierson nos diz muito claramente que aos vinte e um anos de idade começou a reservar um pouco de tempo todo dia — dois minutos pela manhã e dois minutos à noite — se bem me recordo — e que no fim do *primeiro ano*, apenas através dessas pequenas visitas informais a Deus, ele aumentou sua renda anual em setenta e quatro por cento. Acho que eu tenho um exemplar sobrando, e se você tiver a bondade de —"

"Ah, você é impossível", a sra. Glass disse. Mas vagamente. Seus olhos tinham se dirigido de novo ao seu velho amigo, o tapetinho azul, do outro lado do banheiro. Ficou sentada olhando para ele enquanto Zooey — com um sorriso fixo mas transpirando bastante no lábio superior — continuava usando seu palito de laranjeira. Por fim, a sra. Glass soltou um de seus suspiros especiais e voltou sua atenção para Zooey, que, empurrando a cutícula, tinha girado nos calcanhares para se virar para a luz do dia. Enquanto ela reconhecia as linhas e superfícies das suas costas nuas incomumente estreitas, seu olhar foi aos poucos se desabstratizando. Em questão de meros segundos, de fato, seus olhos pareceram descartar tudo que era negro e pesado, e brilhar com uma estima de fã-clube. "Você está ficando tão largo e lindo", ela disse, em voz alta, e estendeu a mão para tocar a região lombar dele. "Eu estava com medo que aqueles exercícios malucos com halteres fossem fazer alguma —"

"Não faça *isso*, tá bem?", Zooey disse, bem cortante, e se afastando.

"Isso o *quê*?"

Zooey abriu o armário de remédios e repôs em seu nicho o palito de laranjeira. "Só não faça, e pronto. Não fique admirando a porcaria das minhas costas", ele disse, e fechou o armário. Pegou um par de meias pretas de seda que estavam penduradas no porta-toalhas e foi com elas até o aquecedor. Sentou no aquecedor, apesar do calor — ou por causa dele —, e começou a calçar as meias.

A sra. Glass bufou um tanto atrasada. "Não ficar admirando as suas costas — adorei essa!", ela disse. Mas estava ofendida, e um pouco magoada. Ficou vendo ele calçar as meias, com uma expressão mista de insulto e do incontrolável interesse de quem há muitíssimos anos vem verificando meias lavadas em busca de furos. Então, subitamente, com um de seus suspiros mais audíveis, ela se pôs de pé e, lúgubre e movida pelo dever, entrou na área da pia, liberada por Zooey. Sua primeira tarefa escandalosamente martirizada foi abrir a torneira de água fria. "Eu queria era que você tivesse aprendido a colocar direito as tampinhas das coisas quando acabou de usar", ela disse num tom que pretendia categoricamente que soasse insidioso.

Do aquecedor, onde estava prendendo as ligas às meias, Zooey ergueu os olhos para ela. "Eu queria era que você aprendesse a sair de cena quando a porcaria da peça acabou", ele disse. "Agora é sério, Bessie. Eu queria nem que fosse um minuto de solidão aqui — por mais que pareça *grosseiro*. Em primeiro lugar, eu estou com pressa. Tenho que estar no escritório do LeSage às duas e meia, e *queria* resolver umas coisas na cidade antes. Vamos lá, então — tudo bem por você?"

A sra. Glass desviou os olhos de sua faina para se virar para ele e fazer uma pergunta de um tipo que, ao longo dos anos, vinha irritando cada um de seus filhos: "Você vai *almoçar* alguma coisa antes de ir, não vai?".

"Eu como alguma coisa no centro... Cadê o inferno do outro pé desse sapato?"

A sra. Glass o encarava deliberadamente. "Você vai ou não vai conversar com a sua irmã antes de sair?", exigiu.

"Eu não *sei*, Bessie", Zooey respondeu, depois de uma perceptível hesitação. "Só pare de me perguntar isso, por favor. Se eu tivesse alguma coisa fina de verdade pra dizer a ela agora de manhã, eu dizia. Só pare de me perguntar." Com um sapato calçado e amarrado, sem o outro à vista, ele subitamente ficou de quatro e passou uma das mãos de um lado para outro por baixo do aquecedor. "Ah. Achei você, seu filhinho de uma puta", ele disse. Uma pequena balança de banheiro ficava ao lado do aquecedor. Ele sentou nela, tendo na mão o sapato faltante.

A sra. Glass ficou vendo ele calçar o sapato. Mas não ficou para ver o cadarço amarrado. Em vez disso, saiu dali. Mas lentamente. Movendo-se com certo peso nada típico — arrastando-se, na verdade — que distraiu Zooey. Ele olhou para ela com considerável atenção. "Eu simplesmente não sei mais o que aconteceu com esses meus filhos", a sra. Glass disse vagamente, sem se virar. Ela parou diante de um dos porta-toalhas e endireitou um paninho de banho. "Nos tempos antigos do rádio, quando vocês todos eram pequenos e tudo mais, vocês eram todos tão — inteligentes e felizes e — pura e simplesmente *lindos*. Entrava dia e saía dia." Ela se abaixou e pegou no chão de lajotas o que parecia ser um cabelo humano longo e misteriosamente aloirado. Fez um pequeno desvio com ele até o cesto de lixo, dizendo, "Não sei de que adianta saber tanta coisa e ser inteligente pra caramba e tudo mais se isso não deixa a pessoa feliz". Ela estava de costas para Zooey enquanto se movia de novo na direção da porta. "Pelo menos", ela disse, "vocês eram tão doces e tão carinhosos um com o outro que era uma alegria ver." Abriu a porta, sacudindo a cabeça. "Uma alegria mesmo", disse com firmeza, e fechou a porta ao sair.

Zooey, olhando para a porta fechada, inspirou fundo e soltou o ar devagar. "Que falas que você escolhe pra sair de cena, minha filha!", ele gritou para ela — mas só quando já devia ter certeza de que sua voz não iria de fato chegar a ela no corredor.

A sala de estar dos Glass era praticamente a sala menos pronta para ser pintada que se pode imaginar. Franny Glass estava dormindo no sofá, coberta por uma manta; o carpete "de parede a parede" não tinha sido nem retirado nem dobrado nas laterais; e a mobília — o que parecia ser todo um depósito de móveis — estava na sua distribuição dinâmico-estática de sempre. A sala não impressionava pelo tamanho, nem mesmo segundo padrões de prédios nova-iorquinos, mas tudo que se acumulava ali poderia ter dado uma atmosfera aconchegante até para um salão de banquetes no Valhalla. Havia um piano Steinway de cauda (que ficava invariavelmente aberto), três rádios (um Freshman 1927, um Stromberg-Carlson 1932 e um RCA 1941), um televisor de vinte e uma polegadas, quatro fonógrafos de mesa (incluindo uma Victrola 1920, com o alto-falante ainda montado e intacto, na parte de cima), uma pletora de mesinhas de cigarros e de revistas, uma mesa de pingue-pongue tamanho oficial (graças a Deus desmontada e guardada atrás do piano), quatro cadeiras confortáveis, oito cadeiras desconfortáveis, um aquário de peixes tropicais de quarenta e cinco litros (abarrotado, em todo e qualquer sentido da palavra, e iluminado por duas lâmpadas de quarenta watts), uma namoradeira, o sofá que Franny estava ocupando, duas gaiolas de pássaros vazias, uma escrivaninha de cerejeira e todo um sortimento de luminárias de piso, de mesa e "pendentes" que se projetavam sobre toda aquela congestionada paisagem interna como caules floridos. Um cordão de isolamento formado por estantes que iam até a altura da cintura cercava três das paredes, com prateleiras lotadas e literalmente encurvadas com o peso dos livros — livros infantis, livros acadêmicos, livros usados, livros de Clube de Leitura, mais o acúmulo ainda mais heterogêneo que escapava de "anexos" menos comunitários do apartamento. (*Drácula* agora estava ao lado de *Páli para principiantes*, *The Boy Allies at the Somme* estava ao lado de *Bolts of Melody*, *The Scarab Murder Case* e *O idiota* estavam juntos, *Nancy Drew and the Hidden Staircase* estava por cima de *Temor e tremor*.) Mesmo que uma equipe resoluta e atipicamente corajosa de pintores tivesse a capacidade de lidar com as estantes, as paredes propriamente ditas, logo atrás delas, poderiam muito bem fazer um trabalhador que se desse ao respeito rasgar a carteirinha do sindicato. Do topo das estantes até menos de trinta centímetros do teto, a parede — de um azul de jaspe cheio de bolhas, onde estivesse visível — estava quase completamente coberta pelo que de maneira muito frouxa poderia ser chamado de "quadros", na verdade uma coleção emoldurada de fotografias, amareladas cartas pessoais e presidenciais, placas de bronze e de prata, e uma abundante miscelânea de documentos vagamente condecorativos e objetos vagamente semelhantes a troféus, de vários formatos e tamanhos, que atestavam todos, de uma ou de outra maneira, o formidável fato de que de 1927 até quase o final de 1943 o programa nacional de rádio chamado *É uma Sábia Criança* muito raramente foi ao ar sem um (e, na maioria das vezes, dois) dos sete rebentos da família Glass entre seus participantes. (Buddy Glass, que, aos trinta e seis anos, era o mais velho dos ex-participantes vivos do programa, com não pouca frequência se referia às paredes do apartamento de seus pais como uma espécie de hino visual à infância comercial dos Estados Unidos e à puberdade precoce. Ele vivia manifestando pesar por sair tão poucas vezes do interior para visitá-los, e apontando, normalmente sem parar de falar, o quanto seus irmãos e irmãs eram mais felizes, já que em geral ainda moravam em Nova York ou perto da cidade.) O esquema de decoração das paredes, na verdade, era um projeto — com o irrestrito apoio espiritual e a concordância formal eternamente recusada da sra. Glass — do sr. Les Glass, o pai das crianças, um ex-ator internacionalmente conhecido de teatro de revista e, sem dúvida, um inveterado e nostálgico admirador do estilo das paredes do restaurante teatral Sardi. O gesto talvez mais inspirado do sr. Glass como decorador se fazia presente logo atrás e acima do sofá em que a jovem Franny Glass ora dormia. Ali, numa justaposição quase incestuosamente íntima, sete álbuns de recortes de jornais e revistas tinham sido presos, pela lombada, diretamente à parede. Ano a ano, abertamente, todos os sete álbuns de recortes ficavam à disposição para serem examinados ou conferidos por velhos amigos da família e visitantes casuais também, assim como, presumivelmente, por uma ou outra faxineira.

Mal vale mencionar, mas a sra. Glass tinha dado jeito ainda naquela manhã de fazer dois gestos simbólicos para os pintores que estavam por chegar. Podia-se entrar na sala tanto pelo corredor quanto pela sala de jantar, e em cada uma dessas entradas havia portas duplas de vidro. Logo depois do café da manhã, a sra. Glass tinha desnudado as portas de suas cortinas pregueadas de seda. E mais tarde, num momento oportuno, quando Franny fingia tomar uma xícara de caldo de galinha, a sra. Glass subiu no peitoril das janelas com a agilidade de uma cabra-montesa e despiu todas as três janelas de suas pesadas cortinas de adamascado.

A sala toda ficava virada para o sul. Uma escola particular para meninas, de quatro andares, ficava exatamente do outro lado da rua — um prédio pesado e com uma aparência algo distraidamente anônima, que raramente ganhava vida antes das três da tarde, quando crianças das escolas públicas da Segunda e da Terceira Avenida iam jogar belisca ou bater bola na sua escadaria de pedra. Os Glass tinham um apartamento de quinto andar, um acima do telhado da escola, e a essa hora o sol brilhava sobre o telhado da escola e atravessava as janelas nuas da sala de estar da família. A luz do sol era cruel com a sala. Não somente os móveis eram velhos, intrinsecamente não belos, e coalhados de lembranças e sentimentalismo, mas a própria sala nos últimos anos tinha servido como arena de incontáveis partidas de hóquei e de futebol americano (pra valer e "café com leite"), e quase não havia pé de alguma peça de mobília que não estivesse todo lascado ou marcado. Havia também cicatrizes muito mais perto da altura dos olhos, provindas de uma variedade impressionante de objetos voadores — pufes, bolas de beisebol, de gude, chaves de apertar patins, esponjas mágicas e, até mesmo, numa marcante ocasião do começo dos anos 1930, uma boneca de porcelana sem cabeça, mas voadora. A luz do sol, no entanto, talvez fosse especialmente cruel com o carpete. Ele originalmente era de um vermelho-vinho-do-Porto — e à luz das luminárias, ao menos, ainda era —, mas agora ostentava diversas manchas desbotadas com quase o formato de um pâncreas, suvenires nada sentimentais, todos eles, de uma série de animais de estimação. O sol a essa hora penetrava na sala até a altura, até a profundidade, até demonstrar a impiedade de chegar à televisão, cujo imóvel olho ciclópico o recebia de frente sem piscar.

A sra. Glass, que tinha algumas de suas ideias mais inspiradas, mais perpendiculares, quando estava à porta de algum armário de roupa de cama, tinha aninhado a filha mais nova no sofá entre lençóis de percal cor-de-rosa, e coberto a menina com uma manta de caxemira azul-clara. Franny agora estava dormindo virada para o lado esquerdo, para o encosto do sofá e a parede, com o queixo mal roçando uma das várias almofadas à sua volta. Estava com a boca fechada, mas por pouco. Sua mão direita, no entanto, sobre a coberta, não estava meramente fechada, mas travada num punho; dedos apertados, polegar ocultado — era como se, aos vinte anos, ela tivesse regredido às defesas agressivas e mudas do berçário. E aqui no sofá, é necessário mencionar, o sol, apesar de sua falta de cortesia com o resto da sala, estava se comportando lindamente. Batia em cheio no cabelo de Franny, que era pretíssimo e tinha um corte muito bonito, e tinha sido lavado três vezes no mesmo número de dias. A luz do sol, na verdade, banhava toda a manta, e o jogo da luz cálida e brilhante sobre a lã azul-clara por si só já valia ser admirado.

Zooey, quase assim que saiu do banheiro, com um charuto aceso na boca, ficou algum tempo parado ao pé do sofá, primeiro ocupado com a tarefa de pôr para dentro da calça a camisa branca que tinha vestido, depois colocando as abotoaduras, e depois meramente parado, olhando. Estava com a cara fechada por trás do charuto, como se os esplêndidos efeitos de iluminação tivessem sido "criados" por um diretor de palco cujo gosto considerasse mais ou menos suspeito. Apesar de seus traços extraordinariamente finos, e de sua idade, e de sua estatura geral — vestido, ele podia facilmente ter passado por um jovem *danseur* que estivesse abaixo do peso —, o charuto não lhe caía especialmente mal. Primeiro motivo, ele não tinha exatamente um nariz pequeno. Mais um, os charutos, com Zooey, não eram de qualquer maneira óbvia uma afetação de rapaz. Ele fumava charutos desde os dezesseis anos de idade, e fumava sempre, por vezes uma dúzia ao dia — caros panatelas, em sua maior parte —, desde os dezoito.

Uma mesinha de centro de mármore de Vermont, retangular e bem comprida, ficava paralela e bem próxima ao sofá. Zooey abruptamente foi até ela. Tirou um cinzeiro, uma cigarreira de prata e um exemplar da *Harper's Bazaar* do caminho, então sentou diretamente no estreito espaço aberto na superfície de mármore, encarando — quase pairando acima dela — a cabeça e os ombros de Franny. Olhou brevemente para a mão cerrada sobre a manta azul, então, com bastante delicadeza, e com o charuto na mão, segurou o ombro de Franny. "Franny", ele disse. "Frances. Anda, menina. Não vamos ficar o dia inteiro nesse buraco… Anda, menina."

Franny acordou assustada — de um salto, mesmo, como se o sofá tivesse acabado de passar por uma lombada bem alta. Ela ergueu um braço, e disse, "Nossa". Apertou os olhos por causa do sol da manhã. "Por que tanto sol?", ela só registrou parcialmente a presença de Zooey. "Por que tanto sol?", repetiu.

Zooey a observava com alguma atenção. "Eu trago sempre o sol comigo, minha filha", ele disse.

Franny, ainda de olhos apertados, ficou olhando para ele. "Por que você me acordou?", ela perguntou. Ainda estava muito embotada pelo sono para soar zangada de verdade, mas estava claro que sentia haver alguma injustiça no ar.

"Bom… o negócio é o seguinte. Ofereceram uma paróquia nova pra mim e pro irmão Anselmo. No Labrador, sabe. E a gente estava pensando se você podia nos dar a sua bênção antes da gente —"

"Nossa!", Franny disse de novo, e pôs a mão no alto da cabeça. Seu cabelo, com um corte curto, elegante, tinha sobrevivido mais do que bem ao sono. Ela o repartia — para grande sorte do espectador — bem no meio. "Ah, eu tive um sonho horroroso", ela disse. Sentou um pouco mais ereta e, com uma das mãos, fechou a lapela do roupão. Era um roupão de seda de alfaiataria, bege, com um belo padrão de minúsculas rosas-chá nacaradas.

"Manda", Zooey disse, dando uma tragada no charuto. "Eu interpreto pra você."

Ela estremeceu. "Foi tão horrível. Tão cheio de aranhas. Eu nunca tive um pesadelo tão cheio de aranhas."

"Aranhas, é? Muito interessante. Muito relevante. Eu tive um caso interessantíssimo em Zurique, alguns anos atrás — uma moça em tudo e por tudo semelhante a você, a bem da verdade —"

"Fique quietinho um segundo, que senão eu esqueço", Franny disse. Ela encarou avidamente o espaço, como fazem os que recordam pesadelos. Havia semicírculos sob seus olhos, e outros indícios mais sutis que marcam uma moça agudamente perturbada, mas mesmo assim ninguém poderia deixar de ver que a beleza dela era de primeira categoria. Sua pele era linda, e seus traços eram delicados e muito pessoais. Os olhos dela eram quase idênticos aos de Zooey em seu deslumbrante tom de azul, mas ficavam mais separados, como sem dúvida hão de ficar os olhos de uma irmã — e olhar para eles não era, por assim dizer, uma tarefa tão complicada quanto no caso de Zooey. Coisa de quatro anos antes, quando ela se formou no colégio interno, seu irmão Buddy tinha feito para si próprio a mórbida profecia, enquanto ela lhe sorria do palco dos formandos, de que ela tinha toda a probabilidade de um dia se casar com um homem que tivesse uma tosse incessante. Então também havia *isso* no rosto dela. "Ah, meu Deus, agora eu lembrei!", ela disse. "Foi uma coisa horrenda. Eu estava numa piscina em algum lugar, e tinha um monte de gente que ficava me fazendo mergulhar pra pegar uma lata de café Medaglia d'Oro que estava no fundo. Toda vez que eu voltava, eles me faziam descer de novo. Eu estava chorando, e ficava dizendo pra todo mundo, '*Vocês* estão de roupa de banho. Por que não mergulham um pouco também?', mas eles só riam e faziam uns comentariozinhos supersarcásticos, e lá ia eu, mergulhar de novo." Ela estremeceu novamente. "Essas duas meninas que são do meu dormitório estavam lá. A Stephanie Logan, e uma menina que eu nem *conheço* direito — uma pessoa, a bem da verdade, que sempre me deu muita *pena*, por causa do nome horroroso que tem. Sharmon Sherman. As duas estavam com um remo grandão, e ficavam tentando me *acertar* com o remo toda vez que eu subia à superfície." Franny pôs brevemente as mãos sobre os olhos. "Nossa!" Ela sacudiu a cabeça. Refletiu. "A única pessoa que fazia algum *sentido* no sonho era o professor Tupper. Assim, ele era a única pessoa que estava ali e que eu *sei* que me detesta de verdade."

"Te detesta, é? Muito interessante." O charuto de Zooey estava na sua boca. Ele o girou lentamente entre os dedos, como um interpretador de sonhos que não está de posse de todos os dados de um caso. Parecia muito satisfeito. "Por que ele te detesta?", perguntou. "Com total franqueza, como você pode perceber, eu estou de mãos —"

"Ele me detesta porque eu estou num seminário maluco de religião que ele coordena, e eu nunca consigo me obrigar a sorrir pra ele quando ele está sendo encantador e oxfordiano. Ele está aqui num em*préstimo* de Oxford, ou alguma coisa assim, e ele é um velho fajuto terrivelmente triste e convencido com uma cabeleira branca despenteada. Acho que ele passa no banheiro pra bagunçar o cabelo antes de entrar em sala — acho mesmo. Ele não tem o menor entusiasmo pelo tema da disciplina. Ego, sim. Entusiasmo, não. O que não seria um problema — assim, não ia ser nada necessariamente *estranho* —, mas ele fica dando umas indiretas imbecis de que ele é um *Homem Realizado* e que a gente devia ficar era bem contente de ter ele aqui no país." Franny fez uma careta. "A única coisa que ele faz com alguma *verve*, quando não está se gabando, é corrigir alguém quando a pessoa fala que uma coisa está em sânscrito quando na verdade está em páli. Ele simplesmente *sabe* que eu não tenho paciência com ele! Você tinha que ver as caras que eu faço pra ele quando ele não está olhando."

"O que é que ele estava fazendo na piscina?"

"Mas é bem isso! Nada! Absolutamente nada! Ele ficava só parado ali, sorrindo e o*lhan*do. Ele era o pior de todos lá."

Zooey, olhando para ela através da fumaça do charuto, disse com frieza, "Você está um horror. Sabia?".

Franny ficou olhando para ele. "Você podia ter passado a manhã toda sentado aí sem dizer isso", ela disse. E acrescentou, com seriedade, "Só não me venha com tudo aquilo de novo, já de manhã cedinho, Zooey, por favor. Sem brincadeira, tá".

"Ninguém está vindo com nada, menina", Zooey disse, com o mesmo tom frio. "Só que você está que é um horror, só isso. Por que não come alguma coisa? A Bessie disse que tem um caldo de galinha lá que ela —"

"Se mais alguém mencionar caldo de galinha pra mim só mais uma vez —"

Só que a atenção de Zooey tinha sido distraída. Ele estava olhando para a manta ensolarada, no lugar onde ela cobria as pernas e os tornozelos de Franny. "Quem que está ali?", ele disse. "Bloomberg?" Ele esticou um dedo e delicadamente cutucou um calombo bem grande e de aparência estranhamente móvel sob a manta. "Bloomberg? É você?"

O calombo se mexeu. Franny agora estava olhando para ele, também. "Eu não consigo me livrar dele", ela disse. "Ele de uma hora pra outra ficou absolutamente *louco* por mim."

Com o estímulo do dedo inquiridor de Zooey, Bloomberg abruptamente se espichou, então começou a abrir lentamente um túnel que subia para o espaço mais amplo do colo de Franny. No instante em que sua cabeça consternada emergiu para a luz do dia, para a luz do sol, Franny o segurou por baixo das axilas e o ergueu para uma distância íntima de saudação. "Bom *dia*, Bloomberg, meu amor!", ela disse, e o beijou fervorosamente entre os olhos. Ele piscou com repulsa. "Bom *dia*, seu gato velho e fedido. Bom dia, bom dia, bom dia!" Ela lhe dava um beijo atrás do outro, mas nenhuma onda recíproca de afeto surgia nele. Ele fez uma tentativa inepta e algo violenta de se dirigir à clavícula de Franny. Era um gato cinza muito grande, malhado e castrado. "Ele não está cari*nho*so?" Franny se maravilhou. "Nunca *vi* ele tão carinhoso." Ela olhou para Zooey, possivelmente em busca de corroboração, mas a expressão de Zooey, por trás do charuto, era neutra. "Faz carinho nele, Zooey! Olha que carinha fofa. *Faz* carinho nele."

Zooey estendeu a mão e afagou o dorso arqueado de Bloomberg uma, duas vezes, então parou, levantou da mesinha de centro e caminhou tortuosamente pela sala, até o piano. Ele ficava, de perfil, tampa bem aberta, em toda a sua negra enormidade de Steinway, na frente do sofá, com o banquinho quase imediatamente diante de Franny. Zooey sentou no banco, incerto, então olhou com um interesse muito nítido para uma partitura que estava no suporte.

"Ele está tão cheio de pulgas que já deixou de ter graça", Franny disse. Ela lutou brevemente com Bloomberg, tentando coagir o animal a um repouso dócil de gatinho de colo. "Eu achei catorze pulgas nele ontem à noite. Só num lado." Deu um vigoroso empurrão para fazer o quadril de Bloomberg descer, então olhou para Zooey. "Como é que estava o roteiro, afinal?", perguntou. "Chegou ontem à noite, finalmente, então?"

Zooey nao respondeu. "Meu Deus", ele disse, ainda olhando para a partitura no suporte. "Quem desencavou isso aqui?" A partitura se chamava "You Needn't Be So Mean, Baby". Tinha cerca de quarenta anos. Uma reprodução em sépia de uma fotografia do sr. e da sra. Glass aparecia na capa. O sr. Glass estava usando fraque e cartola, e a sra. Glass também. Eles sorriam para a câmera com grande empolgação, os dois inclinados para a frente, apoiados nas bengalas elegantes, pés bem separados.

"O que que é?", Franny perguntou. "Não dá pra ver daqui."

"A Bessie e o Les. 'You Needn't Be So Mean, Baby.'"

"Ah." Franny deu uma risadinha. "O Les estava Nostálgico ontem à noite. Por mim. Ele acha que eu estou com dor de estômago. Pegou cada partiturazinha que estava dentro do banco."

"Eu queria é entender como diabos foi que a gente veio parar nessa porcaria dessa selva aqui, vindo lá de 'You Needn't Be So Mean, Baby'. Você que tente."

"Não dá. Eu tentei", Franny disse. "Como é que era o roteiro? Chegou? Você disse que o fulano lá — o sr. LeSage ou sei lá como ele chama — ia deixar com o porteiro antes de —"

"Chegou, chegou sim", Zooey disse. "Eu não quero discutir esse assunto." Ele pôs o charuto na boca e, com a mão direita nas teclas agudas, começou a tocar, em oitavas, a melodia de uma canção chamada "The Kinkajou", que, de maneira algo digna de atenção, tinha entrado e perceptivelmente saído de moda antes de ele nascer. "Não só o *roteiro* chegou", ele disse, "mas o Dick Hess apareceu aqui à uma da manhã — logo depois da *nossa* ceninha — e me pediu pra ir tomar alguma coisa com ele, filho de uma puta. No San Remo, ainda por cima. Ele está descobrindo o Village. Santo Deus!"

"Não marrete as teclas", Franny disse, olhando para ele. "Eu vou ser o regente se você vai sentar aí. E é a minha primeira ordem. Não marrete as teclas."

"Em *primeiro* lugar, ele sabe que eu não bebo. Em segundo, ele sabe que eu nasci em Nova York e que se tem uma coisa que eu não suporto é atmos*fera*. Terceiro, ele sabe que eu moro a umas setenta quadras da porcaria do Village. E *quarto*, eu disse pra ele três vezes que estava de pijama e de chinelo."

"Não marrete as teclas", Franny regeu, afagando Bloomberg.

"Mas *não*, não dava pra esperar. Ele tinha que falar comigo já. Muito importante. Sem brincadeira, agora. Seja um cara legal *uma vez* na vida e pule num táxi pra vir pra cá."

"E você foi? Não bata a tampa, também. É a minha segunda —"
"Fui, *claro* que fui! Eu não tenho força de vontade, cacete!", Zooey disse. Ele fechou o piano, impaciente mas sem bater a tampa. "O meu problema é que eu não confio nas pessoas que não são de Nova York. Pouco me importa há quanto tempo elas estão aqui. Eu sempre fico com medo delas serem atropeladas, ou de tomarem uma *surra*, enquanto estão ocupadas descobrindo algum restaurantezinho armênio na Segunda Avenida. Ou alguma porcaria dessas." Macambúzio, soprou um jato de fumaça de charuto por cima de "You Needn't Be So Mean, Baby". "Então, enfim, eu fui", ele disse. "E lá estava o nosso amigo Dick. Tão pra baixo, tão tris*to*nho, tão cheio de notícias importantes que não podiam esperar até hoje à tarde. Estava lá numa mesa, de calça jeans e com um blazer medonho. O exilado de Des Moines em Nova York. Deu vontade de matar, juro por Deus. Que noite. Eu fiquei lá sentado por duas boas horas enquanto ele me dizia o *ní*vel de filho da puta que eu sou, e da família de psicóticos e prodígios psicopatas de que saí. *Aí*, quando ele já tinha acabado de me analisar inteirinho — e o Buddy, e o Seymour, sendo que ele não conheceu nenhum dos dois —, e quando chegou a algum impasse lá na cabeça dele quanto a ser uma Colette mais agressiva ou uma espécie de Thomas Wolfe baixinho pelo resto da noite, de repente ele pega uma pasta linda, com as suas iniciais, que estava embaixo da mesa, e me enfia um roteiro novinho de uma hora embaixo do braço." Ele fez um passe no ar com uma das mãos, como que para encerrar a conversa. Mas levantou do banco do piano inquieto demais para que aquilo pudesse ser um gesto verdadeiro de encerramento. Estava com o charuto na boca, com as mãos nos bolsos de trás das calças. "Faz *anos* que estou ouvindo o Buddy solar a respeito de atores", ele disse. "Meu Deus, o quanto eu podia encher a orelha dele com o tema dos Escritores Que Conheci." Ficou um momento distraído, então

começou a se mover sem rumo certo. Parou diante da Victrola 1920, olhou para ela sem expressão, e latiu, duas vezes, só para se divertir, no seu alto-falante em formato de megafone. Franny, olhando para ele, deu uma risadinha, mas ele fechou a cara e seguiu adiante. Na frente do aquário de peixes tropicais, que estava instalado em cima do rádio Freshman 1927, ele abruptamente parou, tirando o charuto da boca. Olhou dentro do tanque com inequívoco interesse. "As minhas molinésias pretas estão todas morrendo", ele disse. Estendeu automaticamente a mão para o pote de comida de peixe ao lado do aquário.

"A Bessie pôs comida hoje de manhã", Franny alertou. Ela ainda estava afagando Bloomberg, ainda o ajudando, à força, a tentar encarar o complexo e difícil mundo que fica fora das mantas quentinhas.

"Elas estão com cara de quem está morrendo de fome", Zooey disse, mas afastou a mão da comida de peixe. "Esse fulano aqui está com uma cara muito abatida." Ele bateu no vidro com a unha. "Você está precisando é de um caldo de galinha, companheiro."

"Zooey", Franny disse, para chamar a atenção dele. "Como é que fica agora? Você está com *dois* roteiros novos. Qual que o LeSage veio deixar de táxi?"

Zooey continuou por um momento a contemplar os peixes. Então, num impulso repentino mas que pareceu premente, estendeu-se de costas no carpete. "No que o LeSage enviou", ele disse, cruzando os pés, "eu seria Rick *Chal*mers em, juro por Deus, uma comédia de sala de estar de 1928, tirada direto do catálogo do French. A única diferença é que ela foi gloriosamente atualizada com todo um jargão sobre complexos e repressões e sublimações que o escritor trouxe do consultório do analista".

Franny olhava para o que podia ver dele. Só as solas dos sapatos e os tornozelos eram visíveis de onde ela estava sentada. "Bom, mas e o negócio do Dick?", ela perguntou. "Já leu?"

"No negócio do Dick, eu posso ser Bernie, um sensível guardinha do metrô, na mais corajosa obra artística televisiva excêntrica que você já leu na vida."
"Você está falando sério? O negócio é bom mesmo?"
"Eu não disse *bom*, eu disse *corajoso*. Vamos ficar de orelha em pé aqui, minha filha. Quando isso for produzido, na manhã seguinte todo mundo do prédio vai sair se estapeando nas costas numa orgia de valorização mútua. LeSage. Hess. Pomeroy. Os anunciantes. Todo esse pessoalzinho corajoso. O Hess vai entrar no escritório do LeSage e dizer pra ele, 'Sr. LeSage, eu estou com um novo roteiro sobre um sensível guardinha do metrô encharcado de coragem e integridade. E eu sei, senhor, que logo depois dos roteiros que são Ternos e Pungentes, o senhor adora roteiros que tenham Coragem e Integridade. Esse aqui, senhor, como eu disse, está encharcado dessas coisas. Está cheio de figuras de vários níveis da sociedade. É sentimental. É violento nas horas certas. E bem quando os problemas do sensível guardinha do metrô estão ficando maiores que ele, destruindo a fé que ele tem na Humanidade e nas Pessoas Comuns, sua sobrinha de nove anos volta da escola e lhe transmite uma filosofia correta, prontinha e chauvinista do tipo da que nos foi legada pelas gerações e pelo ensino público, desde os tempos da esposa caipira de Andrew Jackson. Não tem como dar errado, senhor! É pé no chão, é simples, é falso e é familiar o suficiente e trivial o suficiente pra merecer a adoração dos nossos anunciantes gananciosos, nervosos e analfabetos'." Zooey abruptamente se pôs sentado. "Eu acabei de tomar banho, e estou suando feito um porco", comentou. Ele se pôs de pé e, ao fazer isso, espiou rapidamente, como que contra seus instintos, na direção de Franny. Começou a desviar os olhos, mas, em vez disso, olhou para ela com maior atenção. Ela estava com a cabeça baixa, olhos em Bloomberg, no seu colo, a quem continuava

a acariciar. Mas havia uma mudança. "Ah", Zooey disse, e se aproximou do sofá, aparentemente querendo encrenca. "Os lábios de madame se movem. A Oração se alevanta." Franny não ergueu os olhos. "Que diabos você está fazendo?", ele perguntou. "Se protegendo da minha atitude não cristã para com as artes populares?"

Franny ergueu os olhos e sacudiu a cabeça, piscando. Ela sorriu para ele. Seus lábios estavam, de fato, se movendo, e continuavam a se mover ainda agora.

"Só não sorria pra mim, por favor", Zooey disse, sem alteração, e se afastou da vizinhança dela. "O Seymour vivia fazendo isso comigo. Essa porcaria dessa casa está coalhada de sorrisos." Numa das estantes de livros, ele deu um empurrão organizador com o polegar num livro que não estava na linha, então seguiu adiante. Foi até a janela do meio da sala, que ficava separada por um pequeno sofá tipo récamier da escrivaninha de cerejeira onde a sra. Glass pagava contas e escrevia cartas. Ficou ali olhando pela janela, de costas para Franny, mãos de novo nos bolsos de trás das calças, charuto na boca. "Você sabia que pode ser que eu vá à França no verão pra fazer um filme?", ele perguntou, irritadiço. "Eu te disse?"

Franny olhou interessada para as costas dele. "Não, não disse!", ela respondeu. "Sério, isso? Que filme?"

Zooey, olhando para o telhado impermeabilizado da escola do outro lado da rua, disse, "Ah, é uma história comprida. Tem um pateta de um francês que está por aqui, e ele escutou o disco que eu gravei com o Philippe. Eu almocei com ele um dia, tem umas semanas. Parasitão, mas meio simpático, e parece que hoje em dia ele está por cima lá na França". Ele pôs um pé no récamier. "Nada é definitivo — nada nunca é definitivo com esses caras —, mas acho que estou a meio caminho de empolgar o sujeito com a ideia de fazer um filme daquele romance de Lenormand. Aquele que eu te mandei."

"Nossa! Ah, que bacana, Zooey. Se você for, quando você acha que vai ser?"

"Isso *não é* bacana. É bem esse o problema. Eu ia gostar de fazer, sim. Ah, e *como*. Mas eu ia odiar pra diabo ter que sair de Nova York. Se você quer saber mesmo, eu odeio tudo quanto é tipo de gente supostamente criativa que entra em qualquer tipo de navio. Estou pouco me lixando pros motivos. Eu *nasci* aqui. Eu fui à *escola* aqui. Eu fui *atropelado* aqui — *duas vezes*, e na porcaria da mesma *rua*. Eu não tenho nada que ir fazer papéis na Europa, meu Deus do céu."

Franny olhava pensativamente para suas costas cobertas de tecido de alfaiataria. Os lábios dela, contudo, ainda estavam formando palavras mudas. "Por que é que você vai, então?", ela perguntou. "Se você acha isso."

"Por que é que eu *vou*?", Zooey disse, sem olhar em volta. "Eu *vou* basicamente porque estou cansado pra diabo de acordar furioso de manhã e ir dormir furioso de noite. Eu *vou* porque eu poso de juiz de tudo quanto é filho da puta fedorento que encontro. O que por si só nem me incomoda tanto. Pelo menos eu julgo direto com o cólon quando julgo, e sei que cada sentença que eu pronuncio vai me custar o diabo, cedo ou tarde, de um jeito ou de outro. *Isso* não me incomoda tanto. Mas tem uma coisa — meu Senhor Jesus —, tem uma coisa que eu faço com o moral do pessoal lá do centro da cidade que eu não aguento mais ficar olhando muito tempo. Eu posso te dizer e*xa*tamente o que eu faço. Eu faço cada sujeitinho sentir que não quer fazer um bom trabalho mas sim fazer alguma coisa que seja considerada boa por todo mundo que ele conhece — os críticos, os anunciantes, o público, até a professorinha dos filhos dele. É isso que eu faço. É a pior coisa que eu faço." Ele fechou a cara, virado para o telhado da escola; então, com a ponta dos dedos, tirou um pouco do suor da testa. Ele se voltou, abruptamente, para Franny, quando ouviu ela dizer alguma coisa. "Quê?", ele disse. "Eu não te escutei."

"Nada. Eu disse 'Ah, meu Deus'."

"Por quê, 'Ah, meu Deus'?", Zooey perguntou, impaciente.

"Na-da. Faz o favor de não descontar em mim. Eu só estava pensando, só isso. Eu só queria que você tivesse me visto no sábado. Você vem me falar de acabar com o moral das pessoas! Eu absolutamente *estraguei* o dia inteiro do Lane. Eu não só fiquei desmai*ando* em cima dele de hora em hora, mas eu tinha descambado até lá pra um joguinho de futebol americano simpático, amistoso, nor*mal*, meio festivo, supostamente fe*liz*, e absolutamente tudo que ele disse eu contestei ou contradisse ou — sei lá — só estraguei." Franny sacudiu a cabeça. Ela ainda estava acariciando Bloomberg, mas de maneira distraída. O piano parecia ser seu ponto focal. "Eu simplesmente não conse*guia* guardar nem mesmo uma única opinião só pra mim", ela disse. "Foi simplesmente horrível. Praticamente desde o primeiro segundo, quando a gente se viu na estação, eu comecei a resmungar e resmungar e resmungar de todas as opiniões e de todos os valores dele e — de tudo. Mas de *tu*do mesmo. Ele tinha escrito um trabalho meio de-proveta sobre Flaubert, uma coisa totalmente inofensiva, de que ele estava *tão* orgulhoso e queria que eu lesse, e aquilo simplesmente me soou tão completamente curso de letras e tão condescen*den*te e acadêmico que só consegui —" Ela se interrompeu. Sacudiu de novo a cabeça, e Zooey, ainda semirrotacionando rumo a ela, apertou os olhos na sua direção. Ela parecia ainda mais pálida, mais pós-operatória, por assim dizer, do que quando acordou. "É um milagre ele não ter me dado um tiro", ela disse. "Eu ia mais era ter dado para*béns* pra ele."

"Você me contou essa parte ontem de noite. Eu não quero saber de lembranças passadas agora de manhã, minha filha", Zooey disse, e voltou a olhar pela janela. "Em primeiro lugar, você está mirando totalmente errado quando começa a reclamar das *coisas* e das pessoas em vez de reclamar de si própria.

Nós dois estamos. Eu faço a mesmíssima coisa com a televisão — sei bem disso. Mas é *errado*. Somos *nós*. Eu vivo te dizendo isso. Por que você é tão tapada pra entender?"
"Eu não *sou* tão tapada assim, mas você vive —"
"Somos *nós*", Zooey repetiu, passando por cima dela. "Nós somos umas aberrações, e pronto. Aqueles dois filhos da puta pegaram a gente bem cedo e transformaram em aberrações com padrões aberrantes, e pronto. Nós dois somos a Mulher Tatuada, e a gente nunca mais vai conseguir ficar em paz, pelo resto da vida, até todo mundo fazer uma tatuagem também." Mais que um pouco lúgubre, ele levou o charuto até a boca e deu uma tragada, mas o charuto tinha apagado. "Para piorar tudo", disse imediatamente, "a gente tem complexo de *Sábia Criança*. A gente nunca saiu da porcaria do rádio. Nenhum de nós. A gente não fala, a gente palestra. A gente não conversa, a gente expõe. Pelo menos *eu* sou desse jeito. Assim que eu entro em algum lugar com alguém que tenha o número normal de orelhas, eu me transformo ou num *profeta* ou num disco humano. O Príncipe dos Chatos. *Ontem de noite*, por exemplo. Lá no San Remo. Eu ficava re*zan*do pro Hess não me contar o enredo desse roteiro novo. Eu sabia mais do que bem que ele es*ta*va com um roteiro novo. Eu sabia mais do que bem que não ia sair dali sem um roteiro pra levar pra casa. Mas ficava rezando pra ele me poupar de uma *pré*via oral. Ele não é burro. Ele *sabe* que pra mim é impossível ficar de boca fechada." Zooey súbita, rispidamente se virou, sem tirar o pé do récamier, e pegou, num gesto brusco, uma caixa de fósforos que estava na escrivaninha da mãe. Ele se virou de novo para a janela e para a vista do telhado da escola e pôs de novo o charuto na boca — mas de imediato o retirou. "Ele que se *dane*, afinal", disse. "Ele é tão burro que é de cortar o coração. Ele é igual a todo mundo da televisão. *E* de Hollywood. *E* da Broadway. Ele acha que tudo que seja sentimental é *terno*, que tudo que

seja *brutal* é um recorte de rea*lis*mo, e que tudo que se transforme em violência física é um clímax legítimo para alguma coisa que nem —"

"Você *disse* isso tudo pra ele?"

"Mas claro que eu disse! Acabei de te dizer que não consigo ficar de bico fechado. Claro que eu disse! Deixei o sujeito plantado ali querendo morrer. Ou que *um* de nós morresse — queira o diabo que fosse eu. Enfim, foi uma clássica saída San Remo." Zooey tirou o pé do récamier. Ele se virou, parecendo tanto tenso quanto agitado, puxou a cadeira da escrivaninha da mãe e sentou. Acendeu de novo o charuto, então se inclinou para a frente, inquieto, com os dois braços na superfície de cerejeira. Um objeto que sua mãe usava como peso de papel estava ao lado do tinteiro: uma pequena esfera de vidro, num pedestal de plástico preto, que continha um boneco de neve com uma cartola. Zooey pegou a esfera, sacudiu, e ficou ali aparentemente vendo os flocos de neve girarem.

Franny, olhando para ele, agora formava uma aba sobre os olhos com uma das mãos. Zooey estava sentado no ponto mais iluminado da sala. Ela podia ter alterado sua posição no sofá, se queria continuar olhando para ele, mas isso teria incomodado Bloomberg, no seu colo, que parecia estar dormindo. "Você está mesmo com uma úlcera?", ela perguntou de repente. "A mãe disse que você está com uma úlcera."

"Estou com uma úlcera *sim*, Jesus amado. Isso aqui é Kali Yuga, minha filha, a Idade de Ferro. Qualquer pessoa com mais de dezesseis anos de idade que não tenha uma úlcera é uma porcaria de um espião." Ele deu outra sacudida, mais vigorosa, no homem de neve. "A parte engraçada", ele disse, "é que eu gosto do Hess. Ou pelo menos gosto dele quando ele não está me enfiando goela abaixo a minha pobreza artística. Pelo menos ele usa umas gravatas horrorosas e uns ternos esquisitos com enchimentos no meio daquele hospício de gente assustada, superconservadora, superconformista. E eu gosto da vaidade dele. Ele é tão vaidoso que chega a ser humilde, aquele maluco filho de uma puta. Assim, ele obviamente acha que a televisão está à altura de merecer a presença dele e do seu grande talento 'exótico' e pseudocorajoso — o que é um tipo maluco de humildade, se você quiser pensar no assunto." Ficou encarando a bola de vidro até que a tempestade tivesse amainado um pouco. "De certa maneira, eu meio que gosto do LeSage, também. Tudo que ele tem é do melhor — o sobretudo, o iate de duas cabines, as notas do filho em Harvard, o barbeador elétrico, *tu*do. Ele um dia me levou pra jantar na casa dele e me parou no gramado pra me perguntar se eu lembrava da 'falecida Carole Lombard, do cinema'. Ele me avisou que eu ia tomar um susto quando conhecesse a esposa dele, de tanto que ela era a cara da Carole Lombard. Acho que eu vou gostar dele até morrer só por essa. A mulher dele no fim era uma loira bem cansada, peituda, com cara de persa." Zooey virou a cabeça abruptamente para olhar para Franny, que tinha dito alguma coisa. "Quê?", ele perguntou.

"É!", Franny repetiu — pálida, mas com um belo sorriso, e aparentemente fadada, também, a gostar do sr. LeSage até morrer.

Zooey ficou um momento fumando em silêncio o seu charuto. "O que me deixa tão deprimido no Dick Hess", ele disse, "o que me deixa tão *triste*, ou furioso, ou sei lá que diabo eu ando sentindo, é que o primeiro script que ele fez pro LeSage era bem decente. Era quase *bom*, na verdade. Foi o primeiro que a gente filmou — acho que você nem viu, você estava na escola ou sei lá o quê. Eu fazia um fazendeiro jovem que mora sozinho com o pai. O garoto faz alguma ideia de que odeia a vida da fazenda, e ele e o pai sempre tiveram muita dificuldade pra ganhar a vida, então quando o pai morre ele vende as vacas e cria todo um plano de ir pra cidade grande fazer a vida". Zooey pegou de novo o boneco de neve, mas não sacudiu — meramente o virou na mão, segurando pelo pedestal. "Tinha umas cenas bacanas", ele disse. "Depois que eu vendo as vacas, eu continuo indo até o pasto procurar por elas. E quando saio pra dar uma longa caminhada de despedida com a menina com quem eu estou saindo, logo antes de ir pra cidade grande, eu fico tentando seguir na direção do pasto vazio. Aí, quando eu chego à cidade grande e consigo um emprego, eu passo todo o tempo livre que tenho andando pelos currais. Finalmente num momento de trânsito pesado numa rua principal da cidade grande, um carro dobra à esquerda e se transforma numa vaca. Eu corro atrás dela, bem quando o sinal abre, e sou atropelado — pisoteado." Deu uma sacudida no boneco de neve. "Provavelmente não era uma coisa pra você ficar assistindo enquanto corta as unhas dos pés, mas pelo menos não dava vontade de sair *escondidinho* do estúdio depois dos ensaios. Era bem original, pelo menos, e era dele, e não fazia parte de uma modinha manjada de roteiros. Diabo, eu queria que ele fosse pra casa se reabastecer. Diabo, eu queria que todo mundo fosse pra casa. Estou morrendo de cansaço de ser o peso na vida de todo mundo. Meu Deus, você tinha que ver o Hess e o LeSage quando eles estão falando de um programa novo. Ou de *qualquer* coisa nova. Eles ficam felizes que nem pinto no lixo até eu aparecer. Eu me sinto aqueles filhos da puta desgraçados que o adorado Chuang Tzu do Seymour avisava que todo mundo tinha que evitar. 'Cuidado quando os supostos sábios aparecem com seu passo manco.'" Ele ficou imóvel, vendo os flocos de neve girarem. "Às vezes eu ia ficar feliz de deitar e morrer", ele disse.

Franny naquele momento estava com os olhos fixos num ponto desbotado e iluminado do carpete lá perto do piano, com os lábios muito perceptivelmente se movendo. "Isso tudo é tão engraçado que você nem imagina", ela disse, com um levíssimo tremor na voz, e Zooey olhou para ela. Sua palidez era enfatizada pelo fato de não estar usando nada de batom. "Tudo que você está dizendo me faz pensar em tudo que eu estava ten*tan*do dizer pro Lane no sábado, quando ele começou a implicar comigo. Bem no meio dos martínis e escargôs e tal. Assim, não são exatamente as mesmas coisas que incomodam a gente, mas o mesmo tipo de coisas, acho eu, e pelas mesmas razões. Pelo menos, parece." Bloomberg naquele momento ficou de pé no colo dela e, mais como um cachorro que como um gato, começou a rodar para encontrar uma posição que preferisse para dormir. Franny, distraída, e no entanto como um cicerone, pôs as mãos delicadamente nas costas dele, e continuou falando. "Eu cheguei até ao ponto de dizer pra mim mesma, em voz alta e tudo, que nem uma lunática, Se você implicar com mais alguma coisa, distor*cer* ou desmontar só mais uma vez, Franny Glass, nossa história chega ao fim — mas *fim* mesmo. E por um tempo não ficou tão ruim. Por cerca de um mês inteiro, pelo menos, toda vez que alguém dizia alguma coisa que soava universitária ou fajuta, ou que cheirava a ego até não poder mais ou alguma coisa assim, eu pelo menos ficava quietinha. Ia ao cinema ou ficava o tempo todo na biblioteca ou começava a escrever artigos que nem doida sobre a Co*mé*dia do período da Restauração e essas coisas assim — mas pelo menos eu tinha o pra*zer* de não estar ouvindo a minha voz por um tempo." Ela sacudiu a cabeça. "Aí, um dia de manhã — bum, bum, lá fui eu de novo. Passei a noite em claro, por algum motivo, e tinha uma aula de literatura francesa às oito, então acabei levantando de uma vez e me arrumei e fiz café e aí dei uma volta pelo campus. O que eu *queria* fazer era só dar um passeio terrivelmente comprido de bicicleta, mas fiquei com medo que todo mundo me escutasse tirando a bicicleta do suporte — alguma coisa sempre *cai* —, então eu só entrei no prédio da Literatura e fiquei sen*ta*da. E fiquei e fiquei, e acabei levantando e começando a escrever umas coisas do Epiteto no quadro-negro inteiro — eu não sabia nem que lem*bra*va de tanta coisa dele. Eu apaguei — graças a Deus! — antes das pessoas começarem a chegar. Mas foi uma coisa infantil mesmo — Epiteto teria me *odiado* absolutamente por ter feito aquilo — mas..." Franny hesitou. "Sei lá. Acho que eu só queria ver o nome de alguém *bacana* lá num quadro-negro. Enfim, aquilo detonou tudo outra vez. Eu passei o dia implicando. Impliquei com o professor *Fa*llon. Impliquei com o *Lane* quando falei com ele por telefone. Impliquei com o professor *Tu*pper. Foi ficando cada vez pior. Comecei até a implicar com a minha colega de quarto. Ah, meu Deus, coitadinha da Bev! Eu comecei a pegar a menina olhando pra mim como quem estava torcendo pra eu decidir trocar de quarto e deixar alguém minimamente agradável e nor*mal* ir pra lá e dar um pouco de paz pra ela. Foi simplesmente horrível! E a pior parte era que eu *sabia* o quanto estava sendo chata, eu *sabia* o quanto estava deprimindo os outros, ou até mago*an*do os outros — mas eu simplesmente não conseguia parar! Simplesmente *não conseguia* parar de implicar." Parecendo não pouco distraída, ela se deteve só pelo tempo de empurrar o quadril errante de Bloomberg para baixo. "Mas o pior de tudo era em sala de aula", ela disse com decisão. "Aí que era pior. O que aconteceu foi que me veio a ideia — e eu *não* conseguia me livrar dela — de que a universidade era só mais um lugar *tonto*, *vazio*, nesse mundo, dedicado a ajuntar tesouros na Terra e tudo mais. Assim, tesouro é te*sou*ro, pelo amor de Deus. Que diferença faz se o tesouro é dinheiro, ou bens, ou até cul*tu*ra, ou até conhecimento puro e simples? Tudo me parecia e*xata*men*te a mesmíssima coisa, se você tirasse a embalagem — e ainda parece! Às vezes eu acho que conheci*men*to — quando é conhecimento por si só, pelo menos — é o pior de tudo. O mais difícil de perdoar, certamente." Nervosa, e sem nenhuma necessidade real, Franny tirou o cabelo do rosto com uma só mão. "Eu não acho que isso tudo ia ter me derrubado tanto se pelo menos de vez em quando — só de vez em *quando* — tivesse pelo menos alguma implicaçãozinha polida de que o conhecimento *devesse* levar à *sabedoria*, e de que se *não leva*, é uma perda de tempo nojenta! Mas nunca acontece! Você nunca ouve as pessoas nem insinu*arem* no campus que a sabedoria é *supostamente* o *objetivo* do conhecimento. Você mal ouve alguém mencionar a palavra 'sabedoria'! Quer ouvir um negócio engraçado? Quer ouvir um negócio bem engraçado? Em quase quatro anos de universidade — e essa é a mais absoluta *verdade* —, em quase quatro anos de universidade, a única vez que eu lembro de ter ou*vi*do o termo 'sábio' sendo usado foi no meu ano de caloura, em Ciência Política! E sabe como ele foi usado? Foi usado em referência a algum estadista simpatiquinho e velhusco que tinha ganhado uma fortuna no mercado de ações e aí foi pra Washington ser assessor do presidente Roosevelt. Mas, *sério*! Quatro anos de universidade, quase! Eu não estou dizendo que isso acontece com *to*do mundo, mas é que isso me deixa tão *transtornada* que eu acho que quase morro." Ela se interrompeu, e aparentemente se rededicou a servir aos interesses de Bloomberg. Seus lábios agora quase não tinham mais cor que o rosto. E estavam também, muito levemente, descascados.

Os olhos de Zooey estavam nela, e tinham estado. "Eu queria te perguntar um negócio, Franny", ele disse abruptamente. Ele se virou de novo para a superfície da escrivaninha, fechou a cara, e deu uma sacudida no boneco de neve. "O que é que você acha que está fazendo com a Oração de Jesus?", perguntou. "Era aí que eu queria chegar ontem de noite. Antes de você me mandar ir cuidar da minha vida. Você fica falando de ajuntar tesouros — dinheiro, bens, cultura, conhecimento, e assim por diante e tal. Nisso de ficar com a Oração de Jesus — agora só me deixa terminar, por favor —, nisso de continuar com a Oração de Jesus, você não está tentando criar algum tipo de tesouro? Uma coisa que é tão negoci*ável* quanto qualquer outra dessas porcarias mais materiais? Ou o fato de ser uma oração faz toda a diferença? Assim, faz toda a diferença do mundo, pra você, de que lado a pessoa ajunta o seu tesouro — desse lado, ou do outro? Daquele onde os ladrões não podem entrar etc.? É isso que faz a diferença? *Espera* um segundo, agora — só me deixa terminar, por favor." Ele ficou alguns segundos observando a pequena nevasca na esfera de vidro. Então: "Tem alguma coisa nesse teu jeito de ficar repetindo essa oração que me dá *arrepios*, se você quer saber a verdade. Você acha que o meu negócio é fazer você parar de orar. Eu não sei se é ou não — está aí uma bela porcaria de uma questão a se debater —, mas eu gost*aria* de esclarecer, pra mim, que diabo de motivo você tem pra ficar repetindo a oração". Hesitou, mas não o bastante para dar a Franny uma oportunidade de interferir. "Em termos puramente lógicos, não tem diferença alguma, que *eu* consiga ver, entre o homem que cobiça um tesouro material — ou até um tesouro intelectual — e o homem que cobiça um tesouro espiritual. Como diz você, tesouro é tesouro, porcaria, e me parece que noventa por cento de todos os santos que odiavam o mundo na história eram basicamente tão aquisi*ti*vos e pouco atraentes quanto o resto do mundo."

Franny disse, com a maior frieza que conseguiu, e um vago tremor na voz, "Posso interromper agora, Zooey?".

Zooey largou o boneco de neve e pegou um lápis para brincar. "Pode. Pode interromper sim", ele disse.

"Eu *sei* tudo que você está dizendo. Você não está me contando uma única coisa que eu não tenha pensado sozinha. Você está dizendo que eu *quero* alguma coisa da Oração de Jesus — o que me torna tão aquisitiva, nas tuas palavras, no fundo, quanto alguém que quer um *casaco* de arminho, ou ser fa*mo*so, ou ficar transpirando algum tipo maluco de pres*tí*gio. Eu sei isso tudo! Jesus amado, que tipo de idiota você acha que eu sou?" O tremor na voz dela agora já era quase uma barreira.

"Tudo bem, calma, vai com calma."

"Eu *não posso* ir com calma! Você me deixa tão louca da vida! O que que você acha que eu estou fazendo aqui nessa sala maluca — perdendo peso adoidado, deixando a Bessie e o Les completamente pirados de tanta preocupação, atrapalhando a vida na casa e tudo mais? Você não acha que eu tenho juízo suficiente pra me *preocupar* com os meus motivos pra ficar fazendo a oração? É exatamente isso que está me deixando tão preocu*pa*da. Só porque eu sou chata na hora de escolher o que eu quero — nesse caso, ilumina*ção*, ou *paz*, em vez de dinheiro ou pres*tí*gio ou *fama* ou qualquer dessas coisas — não quer dizer que eu não seja tão egoísta e autocentrada quanto qualquer um. Se bobear, eu sou mais! Eu não preciso que o famoso Zachary Glass venha me dizer isso tudo!" Aqui a voz dela falhou de maneira bem marcada, e ela começou de novo a prestar muita atenção em Bloomberg. Lágrimas, presumivelmente, eram iminentes, se é que já não estavam a caminho.

Lá na escrivaninha, Zooey, apertando bem o lápis, estava preenchendo "os" do lado de um mata-borrão onde havia propagandas. Ele continuou com isso por um pequeno intervalo, então jogou o lápis com um peteleco na direção do tinteiro. Pegou seu charuto da borda do cinzeiro de cobre onde o tinha colocado. O charuto agora tinha apenas uns cinco centímetros de comprimento, mas ainda estava aceso. Ele deu uma funda tragada, como se aquilo fosse uma espécie de respiradouro num mundo de resto desprovido de oxigênio. Então, quase à força, ele olhou de novo para Franny. "Quer que eu tente botar o Buddy pra conversar com você por telefone de noite?", ele perguntou. "Acho que você devia conversar com al*guém* — *eu* sou uma porcaria pra isso." Ficou esperando, olhando firme para ela. "Franny. O que você acha?"

A cabeça de Franny estava curvada. Ela parecia estar procurando pulgas na pelagem de Bloomberg, com os dedos ocupadíssimos revirando mechas de pelo. Ela de fato estava chorando agora, mas de uma maneira muito localizada, por assim dizer; havia lágrimas, mas som nenhum. Zooey ficou olhando para ela por um minuto inteiro, mais ou menos, então disse, não precisamente com bondade mas sem ser importuno, "Franny. O que você acha? Eu tento falar com o Buddy por telefone?".

Ela sacudiu a cabeça, que manteve abaixada. Continuou procurando pulgas. Então, depois de um intervalo, respondeu sim à pergunta de Zooey, mas não de modo muito audível.

"Oi?", Zooey perguntou.

Franny repetiu sua declaração. "Eu quero falar com o Seymour", ela disse.

Zooey continuou olhando para ela por um minuto, com o rosto essencialmente inexpressivo — descontando-se uma linha de transpiração no seu lábio superior bem longo e singularmente irlandês. Então, do modo abrupto que lhe era característico, ele voltou a preencher "os". Mas largou o lápis quase imediatamente. Levantou da escrivaninha — bem devagar, para ele — e, levando junto o toco do charuto, retomou sua postura de um-pé-levantado no récamier. Um homem mais alto, de pernas mais longas — qualquer um dos irmãos dele, por exemplo —, talvez erguesse o pé, talvez se alongasse daquela maneira, com mais facilidade. Mas depois que o pé de Zooey estava ali em cima, ele dava a impressão de manter uma posição de dançarino.

Primeiro aos poucos, depois às claras, ele deixou que sua atenção fosse atraída por um pequeno espetáculo que era encenado de maneira sublime, sem se ver atrapalhado por escritores, diretores e produtores, cinco andares abaixo da janela, e do outro lado da rua. Um bordo de bom tamanho ficava na frente da escola particular para meninas — uma das quatro ou cinco árvores naquele afortunado lado da rua — e naquele momento uma criança de sete ou oito anos, menina, estava escondida atrás dele. Usava um sobretudo azul-marinho e uma boina larga que era quase do mesmo tom de vermelho do cobertor da cama de Van Gogh em Arles. Sua boina, na verdade, do ponto de vista de Zooey, parecia não muito diferente de um toque de tinta. A uns cinco metros da criança, seu cão — um filhote de dachshund, com uma coleira e uma guia de couro verde — farejava para encontrá-la, correndo em círculos frenéticos, com a guia arrastando no chão. A angústia da separação era algo que ele mal podia suportar, e quando finalmente conseguiu farejar o rastro da dona, já não se aguentava mais. A alegria do reencontro, para os dois, foi imensa. O salsichinha soltou um ganido, depois como que rastejou todo encolhido de êxtase, até que sua dona, gritando algo para ele, passou apressada por cima da proteção de arame que cercava a árvore e o pegou no colo. Ela lhe disse várias palavras elogiosas, na gíria privada daquele jogo, então o colocou no chão e pegou a guia, e os dois foram andando animados rumo oeste, para a Quinta Avenida e o Park, para onde Zooey não podia mais ver. Zooey por reflexo pôs a mão numa travessa que separava duas das vidraças, como se quisesse erguer a janela e se debruçar para fora para ver os dois desaparecerem. Era a mão que estava com o charuto, no entanto, e ele hesitou um segundo mais do que devia. Deu uma tragada no charuto. "Porcaria", ele disse, "tem umas coisas boas no mundo — e *boas* mesmo. A gente é tão imbecil de não perceber. Sempre, sempre, sempre ligando cada porcaria que acontece com a merdinha do nosso ego." Atrás dele, bem naquele momento, Franny assoou o nariz com franco abandono; o efeito foi consideravelmente mais alto do que se poderia esperar de um órgão tão fino e de aparência tão delicada. Zooey se virou para olhar para ela, com certo ar de repreensão.

Franny, atrapalhada com várias folhas de lenço de papel, olhou para ele. "Bom, des*cul*pa", ela disse. "Eu não posso mais assoar o nariz?"

"Terminou?"

"Termi*nei*, sim! Jesus, que família. Parece que você vai morrer só porque assoou o *nariz*."

Zooey se voltou novamente para a janela. Ele fumou por um tempo, com os olhos seguindo um padrão de blocos de concreto no prédio da escola. "O Buddy uma vez me disse um negócio razoável faz um tempo", ele disse. "Se eu conseguir lembrar o que era." Hesitou. E Franny, ainda ocupada com o lenço de papel, olhou para ele. Quando Zooey parecia ter dificuldade para lembrar alguma coisa, sua hesitação invariavelmente interessava a todos os seus irmãos e irmãs, e tinha até certo valor como entretenimento para eles. Suas hesitações eram quase sempre forjadas. Na maioria das vezes, eram efeito direto dos cinco anos indubitavelmente formativos que ele passou como membro regular do elenco de *É uma Sábia Criança*, quando, em lugar de parecer exibir sua capacidade algo bizarra de citar instantânea e, via de regra, perfeitamente quase tudo que já tivesse lido, ou até ouvido, com verdadeiro interesse, cultivou um hábito de cerrar o cenho e parecer ficar um pouco travado, como faziam as outras crianças do programa. Seu cenho agora estava cerrado, mas ele falou um tanto mais rápido do que era comum nessas circunstâncias, como se tivesse pressentido que Franny, sua colega de programa, já tinha percebido o jogo. "Ele disse que um homem deveria ser capaz de estar estendido no pé de um morro com a garganta cortada, morrendo lentamente de hemorragia, e se uma moça bonita ou uma velha passassem com um lindo jarro equilibrado perfeitamente no alto da cabeça, ele deveria ser capaz de se apoiar num só braço e ficar olhando o jarro até ele chegar em segurança no alto do morro." Refletiu sobre isso, então riu de leve. "Eu queria era ver aquele filho da puta fazer uma coisa dessas." Deu uma tragada em seu charuto. "Todo mundo dessa família tem a porcaria da sua própria religião numa embalagem diferente", ele comentou, com notável ausência de espanto na voz. "O Walt era sério. O Walt e a Boo Boo tinham as filosofias religiosas mais sérias da família." Tragou o charuto, como que para evitar se divertir quando não tinha vontade. "O Walt uma vez disse pro Waker que todo mundo da nossa família devia ter acumulado uma *cacetada* de carma negativo nas encarnações passadas. Ele tinha uma teoria, o Walt, de que a vida religiosa, e toda a agonia que vem com ela, é simplesmente uma coisa que Deus manda pra cima das pessoas que têm a audácia de acusá-Lo de ter criado um mundo feio."

Um riso baixinho de plateia feliz veio do sofá. "Essa eu nunca ouvi", Franny disse. "Qual é a filosofia religiosa da Boo Boo? Eu não achava que ela tivesse uma."

Zooey ficou um momento sem abrir a boca, e então: "Da Boo Boo? A Boo Boo está convencida de que o sr. Ashe criou o mundo. Ela pegou essa do *Diário* de Kilvert. Os alunos da paróquia do Kilvert tinham que responder a pergunta sobre quem criou o mundo, e uma menina disse, 'O sr. Ashe'".

Franny ficou encantada, e esse encanto se fez ouvir. Zooey se virou e olhou para ela, e — rapaz imprevisível que era — fez uma cara muito sisuda, como se de repente tivesse abandonado toda e qualquer forma de leveza. Ele tirou o pé do récamier, estacionou a ponta do charuto no cinzeiro de cobre sobre a escrivaninha, e se afastou da janela. Atravessou lentamente a sala, mãos nos bolsos de trás das calças, mas não sem um destino estabelecido em mente. "Eu tinha que zarpar daqui, diabo. Tenho um almoço marcado", ele disse, e imediatamente se curvou para fazer uma averiguação paciente, de proprietário, do interior do aquário. Bateu no vidro com a unha, de modo irritante. "Eu dou as costas cinco minutos e todo mundo deixa as minhas molinésias pretas morrerem. Eu devia ter levado os peixes comigo pra universidade. Eu *sabia* que devia."

"Ah, Zooey. Você está dizendo isso tem cinco anos. Por que você não vai comprar outros peixinhos?"

Ele continuou batendo no vidro. "Ah, esses universitariozinhos são todos iguais. Gente sem coração. Não eram só umas molinésias, minha filha. A gente era chegado." Dizendo isso, ele se estendeu de novo de costas no carpete, com seu torso exíguo cabendo bem justo entre o rádio de mesa Stromberg-Carlson de 1932 e uma transbordante estante de revistas feita de madeira de bordo. De novo só as solas e os saltos de seus sapatos eram visíveis para Franny. No entanto, mal ele tinha se esticado, já sentou ereto, cabeça e ombros subitamente reaparecendo, com algo do efeito cômico-macabro de um corpo que cai de um armário. "Oração seguindo firme, aí?", ele disse. Então sumiu de novo. Ficou imóvel por um momento. Então, com um pesado sotaque quase ininteligível de Mayfair: "Eu bem que gostaria de um dedinho de prosa, srta. Glass, se for possível". A reação a isso, lá do sofá, foi um silêncio distintamente ominoso. "Faça a sua oração se quiser, ou brinque com o Bloomberg, ou se sinta à vontade pra fumar, mas me dê cinco minutinhos de silêncio total, minha filha. E, se possível, *sem lágrimas*, está certo? Você está me ouvindo?"

Franny não respondeu direto. Ela encolheu as pernas contra o peito, embaixo da manta. E trouxe também um tanto mais para perto o adormecido Bloomberg. "Eu estou ouvindo", ela disse, e encolheu as pernas ainda mais, como uma fortaleza recolhe a ponte levadiça antes do cerco. Hesitou, então falou de novo. "Pode dizer o que quiser, de verdade, desde que não me venha com ofensas. Eu só não estou com vontade de entrar numa discussão agora de manhã. Sério."

"Sem discussões, sem discussões, minha filha. E se tem uma coisa que eu nunca faço é ofender os outros." As mãos de quem dizia isso estavam mansamente postas sobre o peito. "Ah, talvez eu seja meio *ríspido* às vezes, isso sim, quando cabe. Mas ofender, nunca. Pessoalmente, eu sempre achei que você pega mais moscas com —"

"É *sério*, Zooey", Franny disse, mais ou menos para os sapatos dele. "E eu queria que você sentasse, aliás. Toda vez que tudo vai pro beleléu por aqui, eu acho muito *engraçado* que a coisa sempre surge desse exato lugar onde você está deitado. E é sempre você que está aí. Anda, vai. Só sente, por favor."

Zooey fechou os olhos. "Felizmente, eu sei que você não está falando sério. Não bem no fundo. Nós dois sabemos, no fundo do nosso coração, que esse é o único terreno consagrado da porcaria dessa casa mal-assombrada inteirinha. Por a*ca*so era aqui que ficavam os meus coelhos. E eles eram *santos*, os dois. A bem da verdade, eles eram os únicos coelhos castos do —"

"Ah, cala a boca!", Franny disse, nervosa. "Começa de uma vez então, se é pra começar. Eu só estou pedindo pra você pelo menos tentar ter um pouco de *ta*to, do jeito que eu estou agora — só isso. Você é sem sombra de dúvida a pessoa com menos tato que eu conheci na vida."

"Sem tato! *Nunca*. Franco, sim. Empolgado, sim. Impetu*oso*. *Fir*me, talvez, até o fim. Mas ninguém jamais —"

"Eu disse sem *tato*!" Franny passou por cima dele. "Com bastante ênfase, mas tentando não ser divertida. "Só fique doente um dia e vá se visitar, e você vai perceber o quanto você é sem tato! Você é a pessoa mais impossível de alguém ter por perto quando esse alguém não está no melhor dos estados de espírito que eu já conheci na *vida*. Se alguém estiver só com um *resfriado*, até, sabe o que você faz? Você olha torto pra pessoa cada vez que ela assoa o nariz. Você é absolutamente a pessoa menos pie*do*sa que eu já vi. É sim!"

"Tudo bem, tudo bem, tudo bem", Zooey disse, de olhos ainda fechados. "Ninguém é perfeito, minha filha." Sem fazer esforço, amaciando e afinando a voz em vez de erguer o tom até um falsete, ele fez o que para Franny era uma conhecida e sempre realista imitação da mãe deles dizendo umas palavrinhas para aconselhar: "Nós podemos dizer muita coisa quando estamos *bra*vos, mocinha, as quais nós não pen*sa*mos de verdade e das quais nós nos arrepen*de*mos no dia seguinte". Então, imediatamente, fechou a cara, abriu os olhos, e ficou vários segundos encarando o teto. "Primeiro", ele disse, "eu acho que você acha que eu tenho a intenção de tirar de você essa oração ou alguma coisa assim. Não é verdade. Não mesmo. Por mim você pode ficar deitada aí nesse sofá o resto da vida recitando o preâmbulo da Constitui*ção*, mas o que eu *estou* tentando —"

"Foi um começo lindo. Mas *lin*do mesmo."

"Perdão?"

"Ah, cala a boca. Anda de uma vez, *an*da."

"O que eu tinha começado a dizer, é que eu não tenho nada contra a oração. Por mais que você possa pensar o contrário. Você não é a pri*mei*ra pessoa que pensou em fazer essa oração, como você sabe. Uma vez eu entrei em cada loja do exército e da marinha em Nova York procurando uma bela mochila tipo peregrino. Eu ia encher a mochila de farelo de pão e sair em peregrinação pela porcaria do país todo. Fazendo a oração. Espalhando a Palavra. Tudinho." Zooey hesitou. "E eu não estou só mencionando isso, pelo amor de Deus, pra te mostrar que um dia eu fui um Jovem Emotivo Exatamente Igual a Você."

"Está mencionando por *quê*, então?"

"Por que eu estou mencionando? Estou mencionando porque tem uma ou duas coisas que eu quero te dizer, e existe uma certa possibilidade de que eu não seja a pessoa certa para dizer. Pelo fato de que um dia eu mesmo tive um grande desejo de fazer a oração mas não fiz. Até onde eu saiba, eu posso estar com um pouco de ciúme de você estar tentando. É bem possível, na verdade. Em primeiro lugar, eu sou um canastrão. Pode muito bem ser tudo porque eu odeio pra diabo a ideia de ser a Marta contracenando com outra pessoa no papel de Maria. Quem é que vai saber, diabo?"

Franny preferiu não responder. Mas puxou Bloomberg para um pouco mais perto e lhe deu um estranho abraço meio ambíguo. Então ela olhou na direção do irmão, e disse, "Você é uma lobinha. Sabia?".

"Vai devagar com os elogios aí, minha filha — que você pode acabar se arrependendo. Eu ainda vou te dizer o que que não me agrada no teu jeito de lidar com isso tudo. Sendo ou não a pessoa certa." Aqui Zooey ficou encarando vagamente o gesso do teto por coisa de dez segundos, mais ou menos, então fechou os olhos de novo. "Primeiro", ele disse, "eu não gosto dessa coisa meio Camille. E não me interrompa agora. Eu sei que você está honestamente se desmontando, e tudo mais. E eu não acho que é *cena* — não é isso que estou dizendo. E eu não acho que seja um pedido subconsciente de empa*tia*. Ou qualquer coisa dessas. Mas eu ainda te digo que não me agrada. É maldade com a *Bessie*, é maldade com o *Les* — e se você ainda não sabe, você está começando a meio que ficar com jeito de carola. Porcaria, Franny, não existe nenhuma oração em nenhuma religião do mundo que justifique carolice. Eu não estou dizendo que você *é* carola — então fica na tua aí —, mas *estou* dizendo que essa coisa toda de histeria é repulsiva *pacas*"

"Acabou?", Franny disse, sentando-se muito perceptivelmente inclinada para a frente. O tremor tinha voltado à sua voz.

"Tudo bem, Franny. Anda, vai. Você disse que ia me ouvir. Eu já disse o pior, acho. Eu só estou tentando te dizer — eu não estou ten*tan*do, eu estou te dizendo — que isso simplesmente não é justo com a Bessie e com o Les. É *terrível* pra eles — e você sabe. Você sabia, porcaria, que o Les queria mesmo era te trazer uma tange*ri*na ontem à noite antes dele ir dormir? Meu Deus. Nem a Bessie aguenta uma história que tenha tangerina no meio. E Deus bem sabe que *eu* não aguento. Se você vai continuar com essa história de colapso, eu queria era que você voltasse pro diabo da universidade com o tal colapso. Onde você não é a caçulinha da família. E onde, Deus bem sabe, ninguém vai ficar querendo te trazer tangerina. E onde você não guarda no armário a porcaria dos teus sapatos de sapate*ado*."

Franny, nesse momento, estendeu a mão quase às cegas, mas em silêncio, para pegar a caixa de lenços de papel na mesinha de mármore.

Zooey agora contemplava distraído uma velha mancha de gengibirra no gesso do teto, que ele mesmo tinha feito dezenove ou vinte anos antes, com uma pistola d'água. "A outra coisa que me incomoda", ele disse, "também não é mole. Mas eu estou quase acabando, então aguenta um segundinho se der. O que não me agrada *mesmo* é essa vidinha de mártir com cilício que você anda levando lá na universidade — essa cruzada ranheta que você tem contra todo mundo. E eu não estou falando do que você pode achar que eu estou falando, então tente não me interromper um segundo. Eu vou supor que você está basicamente mirando o sistema de educação superior. Não *caia* em cima de mim, agora — no geral, eu concordo com você. Mas eu odeio o tipo de ataque indiscriminado que você está fazendo. Eu concordo com você em coisa de noventa e oito por cento da questão. Mas os outros dois por cento me deixam borrado de medo. Eu tive um professor na faculdade — só *um*, é bem verdade, mas foi dos grandes, muito grandes — que simplesmente não cabe em nada do que você estava falando. Ele não era Epi*te*to. Mas não era um egomaníaco, não era o galã do corpo docente. Ele era um grande estudioso, e modesto. E mais ainda, acho que nunca ouvi o sujeito abrir a boca, nem em sala de aula nem fora, pra dizer alguma coisa que não tivesse um pouquinho de sabedoria de verdade — e às vezes muita sabedoria. O que é que vai acontecer com *ele* quando você começar com a tua revolução? Eu não aguento nem pensar nisso — vamos mudar a porcaria do assunto. Essas outras pessoas de quem você estava reclamando são outra coisa. Esse professor Tupper. E esses dois outros valentões que você mencionou ontem de noite — Manlius e o outro. Eu tive dúzias *desses* tipinhos, e todo mundo teve, e eu con*cor*do que eles não são inofensivos. Eles são letais pra diabo, a bem da verdade. Santo Deus. Eles transformam tudo em que encostam em alguma coisa absolutamente acadêmica e inútil. Ou — pior — num tipo de *seita*. Na minha opinião, eles são os principais culpados pelo bando de patetas ignorantes munidos de diplomas que todo mês de junho invadem o país." Aqui Zooey, ainda olhando para o teto, simultaneamente fez uma careta e sacudiu a cabeça. "Mas o que não me agrada — e que eu acho que não ia agradar nem ao Buddy nem ao Seymour, *mesmo*, a bem da verdade — é o teu jeito de falar dessas pessoas. Assim, você não despreza simplesmente o que elas representam — você despreza as próprias pessoas. É pessoal demais, Franny. Sério. Você fica com um brilhozinho homicida no olhar quando fala desse Tupper, por exemplo. Essa coisa toda dele ir ao banheiro pra bagunçar o cabelo antes de entrar em sala. Isso tudo. Ele provavelmente faz isso mesmo — combina com o resto do que você me falou dele. Eu não estou dizendo que não faça. Mas *não é problema teu*, minha filha, o que ele faz com o cabelo. Eu não veria problema, ou quase, se você achasse que essas afetações pessoais dele eram meio engraçadas. Ou se você sentisse um pingo de pena dele por ser inseguro a ponto de precisar de um pouquinho desse glamour triste pra diabo. Mas quando *você* me conta isso tudo — e eu não estou te enrolando, agora —, você fala como se a porcaria do cabelo dele fosse um inimigo pessoal. Isso não está *certo* — e você sabe. Se você vai à guerra contra o Sistema, atire como uma menina educada e inteligente — porque o inimigo está *lá*, e não porque você não gosta do penteado ou da porcaria da gravata que ele está usando."

Um silêncio se seguiu por um minuto mais ou menos. Foi quebrado apenas pelo som de Franny assoando o nariz — uma assoada plena, prolongada, "entupida", que sugeria uma paciente com um resfriado de quatro dias.

"É exatamente igual a essa porcaria dessa úlcera que eu arranjei. Sabe por que eu fiquei com essa úlcera? Ou pelo menos nove décimos do motivo de eu ter ficado com ela? É porque quando eu não estou com a cabeça no lugar, eu deixo o que eu acho da televisão e de tudo mais virar uma questão pessoal. Eu faço a mesmíssima coisa que você, e já tenho idade pra ser mais ajuizado." Zooey fez uma pausa. Com os olhos fixos na mancha de gengibirra, ele respirou fundo, pelo nariz. Estava ainda com os dedos cruzados sobre o peito. "Essa última coisa agora", ele disse abruptamente, "provavelmente vai causar uma explosão. Mas eu não posso evitar. É a mais importante de todas." Pareceu consultar brevemente o gesso do teto, e então fechou os olhos. "Não sei se você lembra, mas eu lembro de um tempo por aqui, minha filha, quando você passou por uma pequena apostasia do Novo Testamento que deu pra ouvir a quilômetros de distância. Todo mundo estava na porcaria do exército na época, e era eu que ficava com a orelha de penico. Mas você lembra? Será que você ainda lembra disso?"

"Eu mal tinha feito dez anos!", Franny disse — com um tom nasal mais que perigoso.

"Eu sei que idade você tinha. Eu sei muito bem que idade você tinha. Anda, vai. Eu não estou mencionando isso com a ideia de jogar alguma coisa na tua cara — meu *Deus*. Eu estou mencionando por uma boa razão. Estou mencionando porque eu não acho que você entendia Jesus quando era criança e não acho que você entenda agora. Eu acho que você confundiu Jesus na tua cabeça com uns outros cinco ou dez personagens religiosos, e *não* vejo como é que você vai poder continuar com a Oração de Jesus antes de saber quem é quem e o quê é o quê. Por acaso você lembra o que foi que detonou aquela pequena apostasia...? Franny? Lembra ou não lembra?"

Ele não recebeu resposta. Apenas o som de um nariz sendo assoado com certa violência.

"Bom, acontece que eu lembro, sim. Mateus, capítulo 6. Eu lembro nitidamente, minha filha. Lembro até onde eu es*ta*va. Eu estava lá no meu quarto colocando fita na porcaria do meu taco de hóquei, e você entrou de supetão — completamente acelerada, com a Bíblia escancarada. Você não gostava mais de Jesus, e queria saber se podia ligar pro Seymour no acampamento do exército e contar tudo pra ele. E você sabe por que não gostava mais de Jesus? Eu vou te dizer. Porque, *um*, você não aprovava ele ter ido à sinagoga e jogado as mesas e os ídolos pra tudo quanto era lado. Isso foi muito grosseiro, muito Desnecessário. Você tinha certeza que Salomão ou sei lá mais quem não ia ter feito uma coisa dessas. E a *outra* coisa que você não aprovava — a coisa em que a tua Bíblia estava aberta — eram as palavras 'Olhai para as aves do céu, que nem semeiam, nem segam, nem ajuntam em celeiros; e vosso Pai celestial as alimenta'. *Essa* parte estava certa. Essa era linda. Essa você aprovava. *Mas* quando Jesus diz logo depois, 'Não tendes vós muito mais valor do que elas?' — *ah*, é aí que a pequena Franny desembarca. É aí que a pequena Franny larga a Bíblia e vai direto pro Buda, que não discrimina as aves bonitinhas do céu. Aquelas galinhas e aqueles gansos lindos que a gente tinha lá no Lago. E não venha me dizer de novo que você tinha dez anos. A tua idade não tem nada a ver com o que eu estou dizendo. Não acontece nenhuma *grande* mudança entre os dez e os vinte — ou entre os dez e os oitenta, no fundo.

Você *ainda* não consegue amar tanto quanto gostaria de amar um Jesus que fez e disse algumas das coisas que pelo menos afirmaram que ele disse ou fez — e você sabe disso. Você é fisicamente incapaz de amar ou de compreen*der* qualquer filho de Deus que saia jogando mesas por aí. E você é fisicamente incapaz de amar ou compreender qualquer filho de Deus que diga que um ser humano, *qualquer* ser humano — até um professor Tupper —, tem mais valor pra Deus que qualquer pintinho macio e desprotegido que a gente ganhava na Páscoa."

Franny agora encarava diretamente o som da voz de Zooey, sentada ereta, com uma bola de lenços de papel apertada na mão. Bloomberg não estava mais no colo dela. "Eu imagino que *você* consiga", ela disse, esganiçando.

"Não importa se *eu* consigo ou não consigo. Mas, sim, pra te falar a verdade, consigo sim. Eu não estou com vontade de entrar nesse assunto, mas pelo menos eu nunca tentei, conscientemente ou não, transformar Jesus em são Francisco de Assis pra ele ficar mais 'amável' — que é exatamente o que noventa e oito por cento do mundo cristão sempre insistiu em fazer. Não que seja mérito meu. É só que o tipo são Francisco não me atrai. Mas a você, *sim*. E, na minha opinião, esse é um dos motivos de você estar tendo o teu colapsinho nervoso. E es*pec*ial*men*te o motivo de você estar tendo esse colapso em casa. Esse lugar é feito sob medida pra você. O serviço é bom, tem bastante fantasma encanado, frio e quente. O que poderia ser mais conveniente? Você pode ficar fazendo a tua oração aqui e embrulhar Jesus e são Francisco, o Seymour e o avô da Heidi, todo mundo no mesmo pacote." A voz de Zooey parou, muito brevemente. "Você não enxerga isso? Não per*ce*be esse teu olhar opaco e desleixado? Meu Deus, absolutamente nada em você é de décima categoria, e mesmo assim você neste exato minuto está até *aqui* de ideias de décima categoria. Não só esse jeito de você ficar repetindo a oração é religi*ão* de décima categoria, mas, por mais que você possa não saber, você está tendo um colapso nervoso de décima categoria. Eu já vi uns colapsos de verdade, e as pessoas que tiveram essas crises não se deram ao trabalho de escolher a dedo o lugar onde —"

"Para com isso, Zooey! *Para* com isso!", Franny disse, soluçando.

"Eu já paro, daqui a pouquinho, daqui a bem pouquinho. Aliás, por que é que você *está* tendo esse colapso? Assim, se você é capaz de entrar em crise com todas as forças, por que não usar a mesma energia pra se manter bem, e ativa? Tudo bem, então eu não estou sendo razoável. Eu não estou sendo nada razoável agora. Mas, meu Deus, como você está abusando da pouca paciência com que eu nasci! Você dá uma espiada no *cam*pus da tua universidade, e no *mun*do, e na po*lí*tica, e numa temporada de teatro de *repertório*, e escuta as conversas de um bando de universitários otários, e aí decide que tudo é ego, ego, ego, e que a única coisa inteligente que uma menina pode fazer é ficar deitada, raspar a cabeça e fazer a Oração de Jesus e implorar que Deus mande uma experienciazinha mística que deixe ela ficar bem feliz da vida."

Franny gritou, "*Quer calar essa boca, por favor?*".

"Só mais um segundinho, só mais um segundinho. Você fica falando de *ego*. Meu Deus, só o próprio Cristo ia ser capaz de decidir o que é ego e o que não é. Isso aqui é o universo de *Deus*, minha filha, não o teu, e Ele é quem tem a palavra final sobre o que é ego e o que não é. E o teu adorado Epiteto? Ou a tua adorada Emily *Dick*inson? Você quer que a tua Emily, toda vez que tiver vontade de escrever um poema, que ela simplesmente sente e faça uma oração até aquela vontade nojenta e egoísta desaparecer? *Não*, claro que não quer! Mas você quer que tirem o ego do teu amigo professor Tupper. Aí é diferente. E talvez seja. Talvez seja. Mas não saia aos berros contra o ego em geral. Na minha opinião, se é que você quer saber de verdade, metade das coisas nojentas do mundo são geradas por pessoas que não estão usando os seus egos verdadeiros. Veja só o teu professor Tupper. Pelo que você fala dele, enfim, eu aposto quase qualquer coisa que esse negócio que ele está usando, o negócio que você acha que é ego, nem é o ego dele, mas alguma faculdade diferente, bem mais suja, muito menos *bá*sica. Meu Deus, você já passou tempo suficiente em escolas pra saber como isso é. Arranhe um professorzinho incompetente — ou, dá na mesma, um catedrático universitário — e você tem boa chance de encontrar por baixo um mecânico de carros de primeira categoria, ou uma porcaria de um pe*drei*ro. Veja lá o Le-Sage, por exemplo — meu amigo, meu patrão, minha Rosa da avenida Madison. Você acha que foi o ego que fez ele ir parar na televisão? Nem a pau! Ele nem *tem* mais ego — se é que um dia teve. Ele transformou o ego em *ho*bbies. Ele tem pelo menos três hobbies, que eu saiba. E todos eles têm a ver com uma oficina enorme de dez mil dólares que ele tem no porão de casa, cheia de ferramentas elétricas, tornos e sabe lá Deus o que mais. Ninguém que esteja usando de verdade o ego, o ego real, tem *tempo* pra essa porcaria de hobbies." Zooey de repente se interrompeu. Ele ainda estava deitado de olhos fechados e dedos entrançados, bem firmes, sobre o peito, sobre a camisa. Mas agora retorceu o rosto numa expressão deliberadamente dolorida — uma forma, aparentemente, de autocrítica. "*H*obbies", ele disse. "Como é que eu fui chegar nisso de *ho*bbies?" Ficou imóvel um momento.

Os soluços de Franny, abafados apenas parcialmente por uma almofada de cetim, constituíam o único som no cômodo. Bloomberg agora estava sentado embaixo do piano, numa ilha de luz do sol, um tanto decorativamente limpando o rosto.

"Sempre esse peso", Zooey disse, com um certo excesso de objetividade. "Eu posso dizer o que for, sempre parece que eu estou atacando a tua Oração de Jesus. E eu não es*tou*, porcaria.

Eu só sou *contra* o porquê, o como e o *onde* você decidiu usar a oração. Eu queria que você me convencesse — eu ia ado*rar* que você me convencesse — de que não está usando a oração como alguma coisa que você faz em vez de fazer sei lá que diabo é o teu dever na vida, ou só o teu dever diário. Mas, pior ainda, eu não consigo enten*der* — juro por Deus que não consigo — como é que você pode rezar pra um Jesus que você nem compreende. E o que definitivamente não tem desculpa pra mim, considerando que te enfiaram goela a*bai*xo exatamente a mesma quantidade de religião que enfiaram em mim — o que definitivamente não tem desculpa é que você não tenta compreender Jesus. Você ia ter alguma desculpa se fosse ou uma pessoa muito *simples*, que nem o peregrino, ou uma pessoa desespe*rada* pra cacete — mas você não é simples, minha filha, e também não está tão desesperada assim." Bem nesse momento, pela primeira vez desde que tinha deitado, Zooey, com os olhos ainda fechados, apertou os lábios — muito ao estilo, a bem da parentética verdade, de sua mãe. "Deus todo-poderoso, Franny", ele disse. "Se você vai ficar fazendo a Oração de Jesus, pelo menos faça a oração pra Je*sus*, e não pra são Francisco, e pro Seymour e pro avô da Heidi, todo mundo no mesmo pacote. Fique pensando *nele* se fizer a oração, e só nele, e nele como ele era, e não como você queria que ele fosse. Você não enfrenta fato nenhum. Essa mesma atitude desgraçada de não enfrentar os fatos foi o que te colocou nesse estado de espírito bagunçado pra começo de conversa, e ela não tem a menor chance de te tirar daí."

Zooey abruptamente pôs as mãos sobre o rosto já bem úmido, deixou que ficassem ali um instante, então as retirou. Ele as juntou de novo. Sua voz novamente ganhou ímpeto, com um tom quase perfeitamente amistoso. "A parte que me derruba, que me derruba de verdade, é que eu não consigo ver por que alguém — a não ser que fosse uma criança, ou um anjo, ou um simplório feliz como o peregrino — ia até querer fazer a oração pra um Jesus que não fosse exatamente igual ao que a gente vê e ouve no Novo Testamento. Meu Deus! Ele é o único homem inteligente da Bíblia, e pronto! De quem é que ele não ganha de longe? De *quem*? Os dois Testamentos estão cheios de estudiosos, profetas, discípulos, *filhos* preferidos, Salomões, Isaías, Davis, Paulos — mas, meu Deus, quem ali fora Jesus sabia de verdade como a banda tocava? *Ninguém*. Nem Moisés. Não venha me dizer Moisés. Ele era um sujeito bacana, e ficava lindamente próximo de seu Deus, e tudo mais — mas a questão é exatamente essa. Ele tinha que ficar próximo. Jesus percebeu que não há como se separar de Deus." Zooey aqui bateu palmas — só uma vez, e não alto, e muito provavelmente sem nem querer. Suas mãos já estavam juntas sobre o peito quase, por assim dizer, antes de o som das palmas se fazer ouvir. "Ah, meu Deus, que cabeça!", ele disse. "Quem mais, por exemplo, ia ter ficado de boquinha fechada quando Pilatos pediu uma explicação? Não o Salomão. Nem me diga Salomão. O Salomão teria encontrado algumas palavras profundas pra ocasião. Eu não sei nem se Sócrates também não ia, pra te ser sincero. Críton, ou outra pessoa, podia ter dado um jeito de chamar ele num canto só pra garantir o tempo de registrar umas palavras especiais. Mas particularmente, acima de tudo, quem na Bíblia fora Jesus sabia — *sabia* — que nós andamos com o Reino dos Céus em nós, *dentro* de nós, onde nós todos somos estúpidos e sentimentais demais, e sem imaginação demais pra procurar? Você tem que *ser* filho de Deus pra saber esse tipo de coisa. Por que é que você não pensa nessas coisas? Eu estou falando *sério*, Franny, de verdade. Quando você não vê Jesus exatamente pelo que ele era, a Oração de Jesus perde todo o sentido. Se você não compreende Jesus, não tem como compreender a oração dele — você não saca nada da oração, você só fica com um tipo de hipocrisia organizada.

Jesus era um *conhecedor* supremo, meu Deus, com uma missão terrivelmente importante. Não tinha nada de são Francisco ali, com tempo de sobra pra inventar uns cânticos, ou pregar pros *pássaros*, ou fazer qualquer dessas outras coisas fofas tão queridas pelo coraçãozinho da Franny. Eu estou falando sério agora, porcaria. Como é que você pode deixar de ver isso? Se Deus quisesse alguém com a personalidade consistentemente encantadora de são Francisco pra dar conta da tarefa ali no Novo Testamento, teria escolhido o próprio, pode apostar. Mas na realidade ele escolheu o melhor mestre, o mais inteligente, o mais cheio de amor, o menos sentimental, o mais não imita*ti*vo que podia ter escolhido. E quando você deixa de ver isso, eu te juro, a Oração de Jesus deixa de fazer qualquer sentido. A Oração de Jesus tem *um* objetivo, e *apenas* um objetivo. Dotar a pessoa que a pronuncia da Consciência-Cristo. *Não* preparar um cantinho gostoso, repleto de superioridade, pra você se encontrar com algum perso*na*gem divino adorável, grudentinho, que vai te pegar no colo e te liberar de todos os teus deveres e fazer todas as tuas nojentas *Weltschmerzen* e os professores Tupper desaparecerem e nunca mais voltarem. E meu Deus, se você tiver inteligência pra ver isso — e você *tem* — e mesmo assim se recusar a enxergar, então você está usando a oração errado, está usando pra pedir um mundo cheio de bonecas e de santos, e sem professores Tupper." Ele de repente sentou, inclinou-se para a frente, com uma agilidade quase calistênica, para olhar para Franny. Sua camisa estava, como se diz por aí, pingando. "Se Jesus tivesse desejado que a oração fosse usada pra —"

Zooey se interrompeu. Ele ficou olhando a posição prostrada, com o rosto contra o sofá, em que Franny estava, e ouviu, provavelmente pela primeira vez, os sons de angústia apenas parcialmente abafados que vinham dela. Num instante ele empalideceu — empalideceu de angústia em virtude da condição de

Franny, e empalideceu, presumivelmente, porque o fracasso tinha de repente enchido a sala com seu cheiro invariavelmente enjoativo. A cor de sua palidez, no entanto, era um branco curiosamente básico — não misturado, portanto, com os verdes e amarelos da culpa ou da contrição humilhada. Era muito similar à falta de sangue típica do rosto de um menino pequeno que adora animais mais do que tudo, *todos* os animais, e que acabou de ver a expressão de sua irmãzinha favorita, louca por coelhos, quando ela abriu a caixa que continha o presente de aniversário que ele lhe dera — uma naja recém-apanhada, com uma fita vermelha atada num laço inadequado em seu pescoço.

Ele encarou Franny por um minuto inteiro, então se pôs de pé, com um pequeno e atípico movimento desastrado perdendo o equilíbrio. Foi, muito lentamente, até a escrivaninha da mãe, do outro lado da sala. E ficou claro, assim que ele chegou, que não tinha a menor ideia de seu motivo para ter ido até ali. Parecia não ter familiaridade com as coisas que estavam na mesa — o mata-borrão com seus "os" pintados, o cinzeiro com o toco do charuto —, e ele se virou e olhou de novo para Franny. Seu choro tinha diminuído um pouco, ou parecia ter diminuído, mas seu corpo estava na mesma posição miserável, prostrado, com o rosto contra o sofá. Um braço estava dobrado por baixo dela, preso embaixo dela, de uma maneira que devia ser agudamente desconfortável, se não algo dolorosa. Zooey desviou os olhos, e então, não sem bravura, olhou de novo para ela. Limpou a testa rapidamente com a palma da mão, pôs a mão no bolso de trás das calças para secar, e disse, "Desculpa, Franny. Eu sinto muito mesmo". Mas seu pedido formal de desculpas apenas reativou, reamplificou o choro de Franny. Ele olhou fixamente para ela por mais quinze ou vinte segundos. Então deixou a sala, pelo corredor, fechando as portas ao sair.

O cheiro de tinta fresca já estava bem forte logo ao lado da sala de estar. O corredor propriamente dito ainda não estava pintado, mas todo o piso de madeira estava coberto de jornais, e o primeiro passo de Zooey — um passo indeciso, quase atordoado — deixou a marca do salto de borracha de seu sapato numa fotografia de Stan Musial segurando uma truta fluvial de trinta e cinco centímetros na seção de esportes. No seu quinto ou sexto passo, ele quase colidiu com a mãe, que acabava de sair do quarto dela. "Eu achei que você tinha ido embora!", ela disse. Estava carregando dois lençóis lavados e dobrados. "Achei que tinha ouvido a porta da —" Ela se interrompeu para conferir a aparência geral de Zooey. "O que é isso *aí*? Tras*piração*?", ela perguntou. Sem esperar uma resposta, pegou Zooey pelo braço e o levou — quase o arrastou, como se ele fosse leve como uma vassoura — para a luz do dia que vinha de seu quarto recém-pintado. "E é traspi*ração*." Seu tom de voz não podia conter mais pasmo e censura, nem que os poros de Zooey estivessem vertendo petróleo. "Mas o que que você andou fazendo? Você acabou de sair do *banho*. O que que você estava fa*zen*do?"

"Eu estou atrasado agora, Gorducha. Anda. Dá um lado", Zooey disse. Uma cômoda alta tinha sido levada para o corredor e, somada à pessoa da sra. Glass, impedia a passagem de Zooey. "Quem foi que deixou essa coisa horrorosa aqui?", ele disse, olhando para o móvel.

"Por que é que você está suando desse jeito?", a sra. Glass exigiu saber, encarando primeiro a camisa, depois o filho. "Você conversou com a Franny? Onde é que você estava? Na sala de estar?"

"Sim, *sim*, na sala de estar. E se eu fosse você, aliás, ia lá dar uma olhadinha. Ela está chorando. Ou estava quando eu saí." Ele deu um tapinha no ombro da mãe. "Anda, vai. Sério. Sai do —"

"Ela está chorando? De novo? Por quê? O que foi que aconteceu?"

"*Eu* não sei, meu Deus — eu escondi os livros do Ursinho Pooh dela. *Anda*, Bessie, dá um passinho pro lado, por favor. Estou com pressa."

A sra. Glass, ainda olhando fixamente para ele, deixou que ele passasse. Então, quase imediatamente, seguiu para a sala de estar, num passo que mal lhe permitiu gritar por cima do ombro, "Pode ir trocar de camisa, rapazinho!".

Se Zooey ouviu, não deu mostras. No outro extremo do corredor, ele entrou no quarto que no passado dividia com os irmãos gêmeos, e que agora, em 1955, era somente seu. Mas ficou no quarto por não mais que dois minutos. Quando saiu, estava com a mesma camisa suada. Havia, no entanto, uma leve mas bem nítida mudança em sua aparência. Ele tinha obtido um charuto, e o acendeu. E por algum motivo tinha um lenço branco sobre a cabeça, possivelmente para se proteger de alguma chuva, granizo, ou enxofre.

Atravessou o corredor e entrou no quarto em frente, que seus dois irmãos mais velhos um dia dividiram.

Foi a primeira vez em quase sete anos que Zooey, na dramática frase feita, "pôs os pés" no antigo quarto de Seymour e Buddy. Sem contar um incidente totalmente irrelevante uns anos antes, quando tinha passado um metódico pente-fino em todo o apartamento em busca de uma prensa de raquete de tênis perdida ou "roubada".

Fechou a porta ao entrar, o mais que pôde, e com uma expressão que dizia que a ausência de uma chave na fechadura recebia sua desaprovação. Mal deu uma olhada pelo quarto, depois de entrar. Em vez disso, ele se virou e encarou deliberadamente um painel do que um dia tinha sido uma placa de aglomerado, branca como a neve, que estava pregada irrefletidamente atrás da porta. Era um espécime gigante, muito próximo da altura e da largura da própria porta. Parecia mesmo que uma superfície tão branca e tão lisa em algum momento implorou enfaticamente por um pouco de nanquim, e letras de fôrma. E não foi em vão, se ela de fato implorou. Cada centímetro quadrado da superfície visível da placa tinha sido decorado, com quatro colunas de aparência de alguma maneira maravilhosa, compostas de citações extraídas de várias literaturas mundiais. A escrita era minúscula, mas muito negra e intensamente legível, ainda que um tantinho enfeitada aqui e ali, e não sem rasuras e correções. O nível de detalhe não era mais descuidado nem no pé da placa, perto do chão, onde os dois escribas, cada um por sua vez, obviamente tiveram que deitar de bruços. Não havia nem a menor sombra de uma tentativa de atribuir as citações ou os autores a categorias ou grupos de qualquer tipo. Então ler as citações de cima para baixo, coluna por coluna, era mais ou menos como andar por uma barraca de atendimento de emergência numa área de inundação, onde, por exemplo, Pascal estava sem libertinagem estendido no leito de Emily Dickinson, e onde, por assim dizer, as escovas de dentes de Baudelaire e Tomás de Kempis ficavam guardadas lado a lado.

Zooey, postado a uma distância suficiente, leu o primeiro item da coluna da esquerda, então foi lendo dali para baixo. Pela expressão dele, ou por sua falta, ele poderia estar matando tempo numa plataforma de estação de trem, lendo um anúncio de palmilhas ortopédicas do Dr. Scholl.

Você tem direito de trabalhar, mas só pelo próprio trabalho. Você não tem direito aos frutos do trabalho. O desejo pelos frutos do trabalho nunca deve ser seu motivo para trabalhar. Nunca ceda à preguiça, também.

Realize cada ato com seu coração fixo no Senhor Supremo. Renuncie ao apego aos frutos. Seja temperado [sublinhado por um dos calígrafos] no sucesso e no fracasso; pois é essa temperança que a ioga representa.

O trabalho realizado com ansiedade acerca dos resultados é muito inferior ao trabalho realizado sem essa ansiedade, na calma da entrega de si próprio. Procure refúgio no conhecimento de Brama. São infelizes os que trabalham por resultados e de forma egoísta. — *Bhagavad Gita*.

Aquilo amava acontecer. — Marco Aurélio.

Ah, caracol
Escale o monte Fuji,
   Mas lento, lentamente! — Issa.

No que se refere aos Deuses, há quem negue até a existência da Divindade; outros dizem que ela existe, mas nem se move nem se comove nem antevê coisa alguma. Um terceiro grupo lhe atribui existência e antevisão, mas somente para questões grandiosas e celestiais, não por algo que seja desta terra. Um quarto grupo admite coisas da terra além das do céu, mas em geral, e não com respeito a cada indivíduo. Um quinto, de que fazem parte Ulisses e Sócrates, é o grupo dos que gritam: —

"Não dou um passo sem que Tu saibas!" — Epiteto.

O interesse amoroso e o clímax surgiriam quando um homem e uma mulher, ambos desconhecidos, começassem a conversar no trem de volta para o leste.

"Bom", disse a sra. Croot, pois era ela, "o que você achou do Canyon?".

"Uma bela caverna", replicou seu acompanhante.

"Mas que jeito de dizer!", replicou a sra. Croot. "E agora toque alguma coisa pra mim."

— Ring Lardner (*Como escrever contos*).

Deus dá instrução ao coração através, não de ideias, mas de dores e contradições.   — De Caussade.

"Papai!", gritou Kitty, e tapou-lhe a boca com as mãos.
"Está bem, não vou falar!", disse ele. "Estou muito, muito fe... Ah, que tolo sou eu..."
Abraçou Kitty, beijou-lhe o rosto, a mão, de novo o rosto, e abençoou-a com o sinal da cruz.
E apoderou-se de Liévin um novo sentimento de amor por aquele homem, antes estranho a ele, quando viu como Kitty beijava, carinhosa e demoradamente, sua mão carnuda.
— *Anna Kariênina.*

"Senhor, temos que mostrar às pessoas que elas cometem um erro ao adorar ídolos e imagens no templo."
Ramakrishna: "Vocês de Calcutá são sempre assim: querem ensinar e pregar. Querem dar milhões quando no fundo são mendigos... Você acha que Deus não sabe que está sendo adorado através dos ídolos e das imagens? Caso um fiel se engane, você não acha que Deus há de conhecer sua intenção?"
— *Evangelho de Sri Ramakrishna.*

"Não quer se juntar a nós?", um conhecido me perguntou recentemente quando topou comigo sozinho depois da meia-noite num café que já estava quase deserto. "Não, não quero", eu disse.   — *Kafka.*

A felicidade de estar com os outros.   — *Kafka.*

Oração de são Francisco de Sales: "Sim, Pai! Sim, e sempre, sim!"

Zui-Gan dizia a si próprio todo dia, "Mestre".

Então ele mesmo respondia, "Sim, senhor".
E então acrescentava, "Torne-se sóbrio".
De novo respondia, "Sim, senhor".
"E depois disso", continuava, "não se deixe enganar pelos outros."
"Sim, senhor; sim, senhor", replicava.

— Mu-Mon-Kwan.

De tão pequenas que eram as letras escritas no aglomerado, esse último item aparecia ainda no primeiro quinto de sua coluna, e Zooey podia ter ficado lendo por cinco minutos ou mais, ainda na mesma coluna, sem ter que dobrar os joelhos. Ele não quis. Virou-se, não abruptamente, e foi sentar à escrivaninha de seu irmão Seymour — puxando a cadeirinha de encosto reto como se fosse coisa que fizesse todo dia. Colocou seu charuto na borda direita da escrivaninha, com a ponta acesa para fora, apoiou-se nos cotovelos, e cobriu o rosto com as mãos.

Atrás e à esquerda dele, duas janelas com cortinas, persianas semifechadas, davam para um pátio — um nada atraente vale de tijolos e cimento que zeladoras e entregadores atravessavam cinzentamente a toda hora do dia. O quarto propriamente dito era o que se podia considerar a terceira suíte do apartamento, e era, por parâmetros mais ou menos tradicionais de prédios de Manhattan, tanto não ensolarado quanto não grande. Os dois filhos mais velhos dos Glass, Seymour e Buddy, tinham se mudado para lá em 1929, com as idades respectivas de doze e dez anos, e tinham deixado o espaço vago quando estavam com vinte e três e vinte e um. Quase toda a mobília fazia parte de um "conjunto" de madeira de bordo: dois sofás-camas, um criado-mudo, duas escrivaninhas infantilmente pequenas, de dar câimbras nos joelhos, duas cômodas, duas quase espreguiçadeiras. Três tapetes orientais domésticos, extremamente gastos, estavam no chão. O resto, com

muito pouco exagero, eram livros. Livros para-serem-tirados-
-da-estante. Livros permanentemente-abandonados. Livros
não-se-sabe-bem-o-que-fazer-com-vocês. Mas livros, livros.
Altas estantes cobriam três paredes do quarto, cheias até o seu
limite e além dele. O que escapava delas estava empilhado no
chão. Restava pouco espaço para andar, e nenhum para caminhar. Um estranho com alguma quedinha para a prosa descritiva modelo festa-elegante poderia ter comentado que o quarto,
se visto rapidamente, parecia ter sido um dia ocupado por dois
advogados ou pesquisadores em início de carreira, ambos de
doze anos de idade. E, a bem da verdade, a não ser que se fizesse um exame bem cuidadoso dos textos que restavam ali,
havia poucos, quase nenhum, sinais definitivos de que os antigos ocupantes tinham os dois chegado à idade de votar dentro
das dimensões predominantemente juvenis do quarto. É verdade que havia um telefone — o controverso telefone particular — na mesa de Buddy. E havia diversas queimaduras de
cigarro nas duas escrivaninhas. Mas outros sinais mais enfáticos da vida adulta — caixas de abotoaduras ou alfinetes de gravata, quadros nas paredes, os reveladores itens perdidos que
acabam indo parar sobre as cômodas — tinham sido retirados
do quarto em 1940, quando os dois rapazes "seguiram seu caminho" e foram para um apartamento deles.

Com o rosto nas mãos e o lenço que tinha na cabeça caindo
por sobre a testa, Zooey ficou sentado à antiga escrivaninha
de Seymour, inerte, mas acordado, por uns bons vinte minutos. Então, quase num único gesto, afastou o que lhe apoiava
o rosto, pegou o charuto, que acomodou na boca, abriu a última gaveta da esquerda da escrivaninha, e retirou dali, com
as duas mãos, uma pilha de dezoito ou vinte centímetros do
que pareciam ser — e eram — aqueles papelões que vêm dentro de camisas novas dobradas. Colocou a pilha à sua frente na
escrivaninha e começou a virar os papelões, dois ou três de

cada vez. Sua mão se deteve somente uma vez, de verdade, e muito brevemente.

O papelão em que parou tinha sido escrito em fevereiro de 1938. A letra, a lápis azul, era de seu irmão Seymour:

Meu aniversário de vinte e um anos. Presentes, presentes, presentes. Zooey e a neném, como sempre, compraram na parte mais baixa da Broadway. Eles me deram um belo suprimento de pó de mico e uma caixa de bombas de fedor. É para eu soltar as bombas no elevador da universidade ou "em algum lugar bem lotado" assim que tiver uma boa oportunidade.

Vários números de teatro de revista hoje à noite, para me divertir. Les e Bessie fizeram um sapateado soft-shoe bem bonito com um pouco de areia que a Boo Boo tirou da urna do saguão. Quando tinham acabado, o B. e a Boo Boo fizeram uma imitação bem engraçada dos dois. Les quase às lágrimas. A neném cantou "Abdul Abulbul Amir". O Z. fez a saída de cena de Will Mahoney que o Les ensinou, deu de cara com a estante de livros, e ficou *furioso*. Os gêmeos fizeram a velha imitação que eu e o B. fazíamos de Buck & Bubbles. Mas à perfeição. Uma maravilha. No meio de tudo, o porteiro ligou no interfone e perguntou se tinha alguém dançando ali. Um certo sr. Seligman, do quarto —

Ali Zooey abandonou a leitura. Deu duas belas pancadas na superfície da mesa com a pilha de papelões, como quem ajeita um baralho, então largou de novo a pilha na última gaveta, que fechou.

De novo se debruçou nos cotovelos e enterrou o rosto nas mãos. Dessa vez ficou sentado imóvel por quase meia hora.

Quando se moveu de novo, foi como se fios de marionete tivessem sido presos a ele e recebido um puxão exagerado. Pareceu que só teve tempo de pegar o charuto antes que outro puxão dos fios invisíveis o jogasse para a cadeira da segunda escrivaninha do quarto — a escrivaninha de Buddy —, onde ficava o telefone.

Nesse novo assento, a primeira coisa que fez foi tirar a camisa de dentro das calças. Ele desabotoou completamente a camisa, como se a jornada de três passos o tivesse posto numa região estranhamente tropical. Depois, tirou o charuto da boca, mas o transferiu para a mão esquerda, e deixou que ali ficasse. Com a mão direita tirou o lenço da cabeça e o colocou ao lado do telefone, no que era muito implicitamente uma posição "à disposição". Pegou então o telefone sem nenhuma hesitação que se pudesse perceber e discou um número local. Um número muito local mesmo. Quando tinha terminado de discar, pegou o lenço da mesa e o colocou sobre o bocal, bem frouxo e bem acumulado. Respirou um tanto profundamente, e esperou. Podia ter acendido o charuto, que tinha se apagado, mas não acendeu.

Cerca de um minuto e meio antes, Franny, com um tom perceptivelmente trêmulo, acabava de recusar a quarta oferta de sua mãe em quinze minutos de lhe trazer uma xícara de "um caldo de galinha bem quentinho". A sra. Glass tinha feito essa última oferta de pé — na verdade, a meio caminho de sair da sala de estar, na direção da cozinha, com uma expressão algo lúgubre de otimismo. Mas o tremor que voltava à voz de Franny fez com que ela retornasse rapidamente à sua cadeira.

A cadeira da sra. Glass ficava, claro, no lado da sala em que Franny se encontrava. E mais que atenta a esse lado. Cerca de quinze minutos antes, quando Franny estava reabilitada o suficiente para sentar direito e procurar seu pente, a sra. Glass tinha trazido a cadeira de encosto reto que ficava diante da escrivaninha e posicionado bem na frente da mesinha de centro. A localização era excelente para observações frannyológicas, e também dava à observadora acesso fácil a um cinzeiro que ficava sobre a superfície de mármore.

Reacomodada, a sra. Glass suspirou, como sempre suspirava, em qualquer situação, quando alguém recusava uma xícara de caldo de galinha. Mas havia tantos anos que ela estava, digamos assim, singrando com seu barco patrulha pelos canais alimentares de seus filhos que o suspiro não era um verdadeiro sinal de derrota, e ela disse, quase de imediato, "Não sei como é que você pretende ficar *forte* de novo e tudo mais se não quer colocar alguma coisa nutritiva no organismo. Des*culpa*, mas não sei. Você comeu exatamente —".

"Mãe — mas por favor. Eu já te pedi vinte vezes. Será que você pode, *por favor*, parar de mencionar caldo de galinha pra mim? Isso está me deixando tão enjoada —" Franny se interrompeu, e ficou ouvindo. "É o nosso telefone?", ela disse.

A sra. Glass já tinha levantado da cadeira. Tinha os lábios um tanto mais tensos. O toque de um telefone, de qualquer telefone, em qualquer lugar, invariavelmente tensionava um tanto os lábios da sra. Glass. "Eu já volto", ela disse, e saiu da sala. Ela tilintava de modo um pouco mais audível que o normal, como se uma caixa de pregos sortidos tivesse se desfeito num dos bolsos de seu quimono.

Demorou cerca de cinco minutos. Quando voltou, estava com a expressão facial particular que sua filha mais velha, Boo Boo, disse uma vez que significava de duas uma: ou que ela tinha acabado de falar com um dos filhos por telefone, ou que tinha acabado de ouvir a notícia, de fonte confiável, de que o intestino de todos os seres humanos do planeta iria funcionar com perfeita regularidade higiênica pelo período de uma semana inteirinha. "É o Buddy no telefone", ela anunciou ao entrar na sala. Por um costume que vinha de muitos anos, suprimiu qualquer pequeno sinal de prazer que pudesse ter entrado em sua voz.

A reação visível de Franny a essa notícia foi consideravelmente menos que empolgada. Ela, na verdade, pareceu nervosa. "De onde ele está ligando?", ela disse.

"Eu nem perguntei. Parece que ele está com um resfriado horroroso." A sra. Glass não sentou. Ela pairava, inquieta. "Mas corre, mocinha. Ele quer conversar com *você*."

"Ele que disse isso?"

"*Cla*ro que disse! Mas corre... Põe o chinelo."

Franny se retirou dos lençóis cor-de-rosa e da manta azul-clara. Ficou sentada, pálida e nitidamente enrolando, na beira do sofá, olhando para cima, para a mãe. Seus pés pescavam os chinelos no chão. "O que foi que você disse pra ele?", perguntou nervosa.

"Só me faça o favor de ir atender o telefone, mocinha", a sra. Glass disse evasiva. "Só vá mais depre*ssi*nha, pelo amor de Deus."

"Imagino que você tenha falado pra ele que eu estou à beira da morte ou alguma coisa assim", Franny disse. Não houve resposta a isso. Ela levantou do sofá, não com a fragilidade que uma convalescente pós-operatória poderia demonstrar, mas com um mero vestígio de timidez e cautela, como se esperasse, e talvez até torcesse por isso, uma ligeira tontura. Enterrou os pés com mais firmeza nos chinelos, então com sobriedade saiu de trás da mesinha de centro, desatando e reatando o cinto do roupão. Um ano antes, mais ou menos, num parágrafo indevidamente autocrítico de uma carta escrita para seu irmão Buddy, tinha se referido à sua própria silhueta como "inequivocamente americana". Olhando para ela, a sra. Glass, que por acaso era uma grande juíza de silhuetas e portes de moças jovens, outra vez, em lugar de sorrir, tensionou um tanto os lábios. No instante, contudo, em que Franny estava longe de seus olhos, ela dedicou sua atenção ao sofá. Nitidamente, pela cara dela, não havia muita coisa no mundo que detestasse mais que um sofá, um belo de um sofá de plumas de ganso, que tinha sido arrumado como cama. Ela contornou a ilha formada pela mesinha de centro e começou a dar a tudo quanto era almofada uma surra de finalidades terapêuticas.

Franny, de passagem, ignorou o telefone do corredor. Ela nitidamente preferia a caminhada algo mais longa pelo corredor até o quarto dos pais, onde ficava o telefone mais popular do apartamento. Embora não houvesse nada marcadamente singular em seu modo de caminhar pelo corredor — ela nem se arrastava nem corria, exatamente —, ela mesmo assim era muito singularmente transformada enquanto se movia. Parecia, vividamente, ficar mais jovem a cada passo. Possivelmente corredores longos, mais o efeito colateral das lágrimas, mais a campainha de um telefone, mais o cheiro de tinta fresca, mais os jornais pelo chão — possivelmente a soma de tudo isso equivalesse, para ela, a um novo carrinho de boneca. De qualquer maneira, quando chegou à porta do quarto dos pais, seu elegante roupão de seda de alfaiataria — emblema, talvez, de tudo que seja dormitorialmente chique e *fatale* — parecia ter se transformado no roupãozinho de lã de uma criança pequena.

O quarto do sr. e da sra. Glass fedia, e até ardia, a paredes recém-pintadas. A mobília tinha sido arrebanhada no meio do quarto e coberta de lona — uma lona antiga, respingada de tinta, de aparência orgânica. As camas também tinham sido afastadas da parede, mas estavam cobertas com colchas de algodão que a própria sra. Glass tinha providenciado. O telefone estava agora no travesseiro da cama do sr. Glass. Era claro que a sra. Glass, também, tinha preferido essa à extensão menos privada que ficava no corredor. O aparelho estava destacado do gancho, à espera de Franny. Parecia quase tão dependente quanto um ser humano da possibilidade de que alguém reconhecesse sua existência. Para chegar até ele, para ser sua redentora, Franny teve que dar passinhos miúdos por sobre uma grande quantidade de jornais, e se desviar de uma lata de tinta vazia. Quando chegou de fato a ele, não o pegou, mas meramente sentou a seu lado na cama, olhou para ele, desviou os olhos, e tirou o cabelo do rosto. O criado-mudo que normalmente ficava ao lado da cama tinha sido colocado tão perto dela que Franny podia alcançá-lo sem exatamente levantar. Ela pôs a mão sob um pedaço de lona de aparência particularmente maculada que o cobria e tateou de um lado para outro até encontrar o que procurava — uma cigarreira de porcelana e uma caixa de fósforos que ficavam num suporte de cobre. Acendeu um cigarro, então deu outra olhada comprida, excessivamente preocupada, para o telefone. Com exceção de seu falecido irmão Seymour, há que registrar, todos os irmãos dela tinham vozes excessivamente animadas, para não dizer vigorosas, no telefone. Àquela hora, era bem possível que Franny sentisse profunda hesitação diante da possibilidade de correr o risco apenas do timbre, sem nem mencionar o conteúdo verbal, da voz de qualquer um de seus irmãos no telefone. Contudo, soltou uma baforada nervosa e, com não pouca coragem, pegou o telefone. "Alô. Buddy?", ela disse.

"Alô, querida. Tudo bem — está tudo bem com você?"

"Tudo. E com você? Parece que você está resfriado." Então, quando não houve resposta imediata: "Imagino que a Bessie ande te dando bole*tins* de hora em hora".

"Bom — de certa forma. Sim e não. Você sabe. Está tudo bem com você, querida?"

"Tudo. Mas a tua voz está esquisita. Ou você está com um resfriado horrível ou a ligação está horrível. Onde é que você está, aliás?"

"Onde é que eu estou? Eu estou bem no meu lugar, Flopsy. Eu estou numa casinha mal-assombrada perto da minha. Deixe isso pra lá. Vamos conversar."

Franny nada placidamente cruzou as pernas. "Eu não sei exatamente do que você quer falar", ela disse. "O que foi que a Bessie andou te dizendo, assim?"

Houve uma pausa tipicamente buddyana do outro lado da linha. Era exatamente o tipo de pausa — só um pouquinho rica da senioridade dos anos — que muitas vezes testou a paciência tanto de Franny *quanto* do virtuose do outro lado da linha quando os dois eram pequenos. "Bom, eu não tenho tanta certeza do que foi que ela me disse, querida. Depois de um certo ponto, é meio falta de educação ficar ouvindo a Bessie no telefone. Eu fiquei sabendo da dieta do cheesebúrguer, isso você pode apostar. E, claro, dos livros do peregrino. Aí acho que só fiquei com o telefone na orelha, sem ouvir de verdade. Você sabe."

"Ah", Franny disse. Ela passou o cigarro para a mão do telefone e, com a mão livre, tateou de novo sob a cobertura de lona do criado-mudo e encontrou um minúsculo cinzeiro de cerâmica, que pôs a seu lado na cama. "A tua voz está esquisita", ela disse. "Você está resfriado, ou o quê?"

"Eu estou ótimo, querida. Estou aqui sentado conversando com você e estou ótimo. É uma alegria ouvir a tua voz. Nem te digo."

Franny mais uma vez afastou com uma das mãos o cabelo do rosto. Ela não abriu a boca.

"Flopsy? Você consegue pensar em alguma coisa que a Bessie possa ter perdido? Você está querendo falar?"

Com os dedos, Franny alterou levemente a posição do minúsculo cinzeiro a seu lado na cama. "Bom, eu andei foi ouvindo. Pra te ser sin*cera*", ela disse; "o Zooey ficou no meu pé a manhã inteira."

"O Zooey? Tudo bem com ele?"

"Se tudo *bem* com ele? Ele está *bem*. Ele está per*feito*. Eu é que queria matar o carinha."

"Matar? Por quê? Por quê, querida? Por que é que você ia querer matar o nosso Zooey?"

"Por *quê*? Porque sim, e pronto! Ele é completa*mente* destrutivo. Eu nunca vi ninguém tão completamente destrutivo na vida! É tão desnece*ssário*! Uma hora ele vem com um ataque total contra a Oração de Jesus — que por acaso anda me interessando —, fazendo você pensar que é algum tipo de *son*sa neurótica só por estar intere*ssada* naquilo. E dois minutos depois ele começa com um delírio de que Jesus é a única pessoa do mundo que ele já respei*tou* — uma *mente* tão maravilhosa e tudo mais. É que ele é tão *errático*. Assim, ele fica rodando sem parar nuns *cír*culos tão horrorosos."

"Me conta. Conta dos círculos horrorosos."

Aqui Franny cometeu o equívoco de soltar uma pequena exalação de impaciência — tinha acabado de inalar fumaça de cigarro. Ela tossiu. "Contar! Eu ia levar o dia inteiro pra contar!" Pôs a mão na garganta, e ficou esperando que o desconforto do engasgo passasse. "Ele é simplesmente um monstro", ela disse. "É sim! Não um *mons*tro de verdade mas — sei lá. Ele tem tanta amar*gu*ra das coisas. Tem amargura da religião. Tem amargura da *te*levisão. Tem amargura de você e do Seymour — fica dizendo que vocês transformaram a gente numas aberrações. *Eu* não sei. Ele fica pulando de um —"

"Por que aberrações? Eu sei que ele acha isso. Ou que ele acha que acha isso. Mas ele disse por quê? Qual a definição de aberração pra ele? Ele disse, querida?"

Bem aqui, Franny, aparentemente desesperada com a ingenuidade da pergunta, deu um tapa na testa com a mão. Coisa que ela muito provavelmente não tinha feito nos últimos cinco ou seis anos — quando, por exemplo, quase chegando em casa num ônibus da avenida Lexington, descobriu que tinha deixado a echarpe no cinema. "Qual a defini*ção* dele?", ela disse. "Ele tem umas *quarenta* definições pra tudo! Se eu estou parecendo levemente pi*rada*, é por isso. Uma hora — ontem de noite, por exemplo — ele diz que nós somos umas aberrações porque fomos criados pra ter um único conjunto de padrões. *Dez minutos depois* ele diz que *ele* é uma aberração porque nunca quer ir tomar alguma coisa com alguém. A única vez —"

"Nunca quer o quê?"

"Ir *tomar* alguma coisa com alguém. Ah, ele teve que sair ontem de noite pra ir ver um roteirista de televisão e tomar alguma coisa no centro, no Village e tal. Foi por isso que começou. Ele diz que as únicas pessoas que ele quer encontrar de verdade pra tomar alguma coisa por aí estão mortas ou não estão livres. Diz que nunca quer almo*çar* com alguém, nem isso, a não ser que ele ache que existe uma *boa chance* de que acabe sendo Jesus, a tal pessoa — ou Buda, ou Hui-neng, ou Shankaracharya, ou alguém assim. Você sabe." Franny subitamente apagou seu cigarro no minúsculo cinzeiro — com certa falta de jeito, sem ter a segunda mão livre para escorar o cinzeiro. "Sabe o que mais ele me falou?", ela disse. "Sabe o que ele me jurou de pés juntos? Ele me disse ontem de noite que uma vez tomou um copo de gengibirra com Jesus ali na cozinha quando estava com oito anos de idade. Está me ouvindo?"

"Eu estou ouvindo, estou ouvindo... querida."

"Ele disse que estava — isso foi exatamente o que ele disse —, disse que estava sentado na cozinha, só ele, tomando um copo de gengibirra e comendo sal*tines* e lendo Dom*bey & Filho*, e do nada Jesus sentou na outra cadeira e perguntou se podia tomar um copinho de gengibirra. Um co*pinho*, veja bem — foi exatamente o que ele disse. Assim, ele faz uma coisa dessas, e mesmo assim ele acha que é a pessoa perfeita pra ficar *me* dando montes de conselhos e tal! É *isso* que me deixa louca! Dá vontade de cuspir! Dá mesmo! É igual estar num asilo de lu*náticos* e vir outro paciente todo vestido de *médico* que começa a medir a tua pressão ou sei lá o quê... É um horror. Ele fica falando sem parar. E se não está fa*lan*do, fica fumando aqueles charutos fedorentos pela casa inteira. Eu estou tão enjoada desse cheiro de fumaça de charuto que me dá vontade de encostar num cantinho e *morrer*."

"Os charutos são lastro, querida. Mero lastro. Se ele não pudesse ficar segurando um charuto, os pés dele iam sair do chão. Nunca mais a gente ia ver o nosso Zooey."

Havia vários acrobatas verbais experientes na família Glass, mas esse último comentariozinho talvez apenas Zooey tivesse a coordenação adequada para realizar em segurança numa ligação telefônica. Ou é o que sugere este narrador. E Franny pode ter sentido a mesma coisa, também. De um jeito ou de outro, ela de repente viu que era Zooey do outro lado. Levantou, devagar, da beira da cama. "Tudo bem, Zooey", ela disse. "Tudo bem."

Não imediatamente: "Perdão?".

"Eu disse, tudo bem, Zooey."

"*Zoo*ey? Que história é essa?... Franny? Você está aí?"

"Eu estou aqui. Só pare com isso, tá. Eu sei que é você."

"Mas do que é que você está falando, querida? Que história é essa? Quem é esse Zooey?"

"Zooey *Glass*", Franny disse. "Só pare, tá. Não tem graça. A bem da verdade, eu mal estou dando jeito de voltar a ficar mais ou menos —"

"Grass, você disse? Zooey *Grass*? Um norueguês? Um sujeito pesado, loiro, atlé—"

"Tudo *bem*, Zooey. Chega, tá. Já deu. Não tem graça... Caso você queira saber, eu estou me sentindo um nojo. Então se tiver alguma coisa especial que você queira me dizer, por favor, diga de uma vez e me deixa em *paz*." Essa última palavra destacada foi objeto de um estranho desvio, como se a ênfase que recebeu não fosse plenamente intencional.

Houve um silêncio peculiar do outro lado da linha. E uma reação peculiar a ele, da parte da Franny. Ela ficou incomodada.

Sentou de novo na beira da cama do pai. "Eu não vou desligar na tua cara nem nada", ela disse. "Mas eu — sei lá —, eu estou cansada, Zooey. Eu estou simplesmente exausta, pra te falar a verdade." Ficou ouvindo. Mas não veio resposta. Cruzou as pernas. "Você pode ficar assim o dia inteiro, mas eu não", ela disse. "Eu sou só a parte que recebe isso tudo. E não é das coisas mais agradáveis, sabe. Você acha que todo mundo é de ferro ou sei lá o quê." Ela ficou ouvindo. Começou a falar de novo, mas parou quando escutou o som de uma garganta sendo limpa.

"Eu não acho que todo mundo é de ferro, minha filha."

Essa frase, tão simples e tão pé no chão, pareceu perturbar Franny ainda mais que a continuação do silêncio perturbaria. Ela rapidamente estendeu o braço e pegou um cigarro na caixinha de porcelana, mas não se preparou para acender. "Bom, parece que acha", ela disse. Ficou ouvindo. Ficou esperando. "Assim, você ligou por algum motivo especial?", ela disse abruptamente. "Assim, você tinha algum mo*ti*vo especial pra me ligar?"

"Nenhum motivo especial, minha filha, nenhum motivo especial."

Franny ficou esperando. Então o outro lado da linha falou de novo.

"Acho que eu basicamente liguei pra te dizer pra continuar com a tua Oração de Jesus se você quiser. Assim, é problema teu. Problema teu. É uma porcaria de uma oração bacana mesmo, e não deixe ninguém te dizer o contrário."

"Eu sei", Franny disse. Muito nervosa, ela estendeu a mão para a caixa de fósforos.

"Acho que no fundo eu nunca quis fazer você *parar* de dizer a oração. Pelo menos eu acho que não. Sei lá. Eu não sei *o que* estava passando pelo diabo da minha cabeça. Mas tem um negócio que eu *sei* sim. Eu não tenho porcaria nenhuma de autoridade pra ficar falando que nem um *visionário* como eu andei falando. A gente já teve um monte dessa porcaria de visionários na nossa família. Essa parte me incomoda. Essa parte me dá um pouco de medo."

Franny aproveitou a breve pausa que se seguiu para endireitar um pouco a coluna, como se, por algum motivo, uma postura boa, ou uma postura melhor, pudesse ser útil em qualquer momento.

"Me dá um pouco de *medo*, mas não me deixa em pânico. Que isso fique bem claro. Não me deixa em *pâ*nico. Porque uma coisa você esquece, minha filha. Quando sentiu pela primeira vez a necessidade, a *vocação*, para fazer a oração, você não saiu imediatamente revirando os quatro cantos do mundo em busca de um mestre. *Você veio pra casa*. Você não só veio pra *casa* mas entrou numa porcaria de uma crise total. Então se você olhar a coisa de uma certa maneira, você só teria direito ao aconselhamento espiritual de segunda que a gente pode te dar por aqui, e nada mais. Pelo menos você sabe que ninguém aqui nesse hospício vai ter segundas intenções. A gente pode ser de tudo, mas *suspeito* a gente não é, minha filha."

Franny subitamente tentou acender um fósforo usando apenas uma das mãos. Conseguiu abrir o compartimento dos palitos, mas uma única riscada inepta de um fósforo jogou a caixa no chão. Ela se abaixou rapidamente e pegou a caixa, e deixou que os palitos que caíram ficassem pelo chão.

"Uma coisa eu vou te dizer, Franny. De uma coisa eu *sei*. E não fique irritada. Não é nada de ruim. Mas se a vida religiosa é o que você quer, você devia ficar sabendo já, agora mesmo, que está perdendo todas as ações religiosas que acontecem na porcaria dessa casa. Você não tem nem a decência de *aceitar* quando alguém te traz uma xícara de caldo consagrado de galinha — que é o único tipo de caldo de galinha que a Bessie leva pra alguém aqui nesse hospício. Então só me *diga*, só me diga, minha filha. Mesmo se você saísse procurando um mestre pelo mundo inteiro — algum guru, algum homem santo — pra te ensinar a fazer direito a Oração de Jesus, isso ia te servir de quê? Como *diabos* você vai reconhecer um homem santo de verdade quando ele aparecer, se nem reconhece uma xícara de caldo consagrado de galinha quando ela está bem na tua cara? Você consegue me dizer isso?"

Franny agora estava sentada com a coluna algo anormalmente ereta.

"Eu estou só perguntando. Não estou tentando te transtornar. Eu estou te transtornando?"

Franny respondeu, mas sua resposta nitidamente não se fez ouvir.

"Quê? Eu não escutei."

"Eu disse que não. De onde é que você está ligando? Onde é que você está agora?"

"Ah, que diferença faz, diabo? Pierre, Dakota do Sul, pelo amor de Deus. Escuta o que eu estou dizendo, Franny — desculpe, não fique nervosinha. Mas escuta o que estou dizendo. Eu só tenho mais uma ou duas coisinhas bem pequenas, e aí eu paro, juro. Mas por acaso você sabia que eu e o Buddy fomos de carro assistir uma peça tua no verão passado? Você sabia que a gente te viu no *Playboy of the Western World* uma noite? E que noitinha *quente* do cão, isso eu posso te dizer. Mas você sabia que nós fomos lá?"

Uma resposta parecia se fazer necessária. Franny levantou, então imediatamente sentou. Pôs o cinzeiro um pouquinho mais longe de si, como se ele estivesse no caminho. "Não, não sabia", ela disse. "Ninguém disse absolutamente — *Não, não sabia.*"

"Bom, nós fomos. Nós fomos. E eu vou te dizer, minha filha. Você estava bem. E quando eu digo bem, o que eu quero dizer é *bem*. Você estava segurando as *pontas* da peça toda. Até aquelas lagostas bronzeadas da plateia sabiam disso. E agora eu fico sabendo que você largou do teatro pra sempre — eu fico sabendo das coisas, eu fico sabendo das coisas. E eu lembro da história toda que você inventou quando voltou depois do fim da temporada. Ah, como você me irrita, Franny! Desculpa, mas irrita *mesmo*. Você fez a grande descoberta espan*to*sa de que a porcaria do mundo dos atores está lotada de mercenários e salafrários. Até onde eu lembre, você até estava com a cara de quem acaba de ficar arra*sa*da porque os porteiros dos teatros não eram todos gênios. O que que *há* com você, minha filha? Cadê o teu cérebro? Se você recebeu uma educação de aberração, pelo menos *use* a porcaria da educação, *use*. Você pode ficar fazendo a porcaria da Oração de Jesus daqui até o dia do juízo, mas se não perceber que a única coisa que tem importância na vida religiosa é o desa*pe*go, eu não sei como é que você vai fazer um cen*tí*metro de progresso. Desapego, minha filha, e nada mais que desapego. Ausência de desejo. 'Cessação de todas as ânsias.' É esse negócio de dese*jar*, se você quer saber a porcaria da verdade, que te transforma em atriz, pra começo de conversa. Por que é que você está me obrigando a te dizer essas coisas que você já sabe? Em algum momento do caminho — numa porcaria de uma encarnação dessas aí, se preferir — você ansiou não só por ser atriz, mas por ser uma *boa* atriz. Agora você não vai se livrar disso. Você não pode *deixar pra trás* os resultados dos teus próprios anseios. Causa e efeito, minha filha, causa e efeito. A única coisa que você pode fazer agora, a única coisa religi*osa* que você pode fazer, é represen*tar*. Representar por Deus, se quiser — ser uma atriz de *Deus*, se quiser. O que poderia ser mais bonito? Você pode pelo menos tentar, se quiser — não tem nada de errado em ten*tar*." Houve uma breve pausa. "Mas é melhor você ir se sacudindo, minha filha. A porcaria da *areia* vai escorrendo toda vez que você dá as costas. Sorte tua se der tempo pra espirrar nessa porcaria desse mundo dos fenômenos." Houve outra pausa, ainda mais breve. "Antes eu me preocupava com isso. Agora eu não me preocupo muito. Pelo menos eu ainda estou apaixonado pelo crânio do Yorick. Pelo menos eu ainda tenho tempo para continuar apaixonado pelo crânio do Yorick. Eu quero uma porcaria de um crânio honroso quando eu morrer, minha filha. Eu *anseio* por uma porcaria de um crânio honroso como o do Yorick. E você *também*, Franny Glass. Você também, você também... Ah, meu Deus, conversar pra quê? Você teve a mesmíssima criação de aberração que eu, e se você não sabe a essa altura o tipo de *crânio* que você quer quando morrer, e o que você precisa fazer pra *merecer* esse crânio — assim, se você não sabe *pelo menos* a essa altura que se você é atriz você tem que *representar*, então conversar pra quê?"

Franny agora estava sentada com a palma da mão livre contra a lateral do rosto, como alguém com uma horrível dor de dente.

"Mais uma coisinha. E pronto. Juro. Mas o negócio é que você ficou deblaterando e rezingando quando veio pra casa sobre a estupidez das plateias. A porcaria da 'gargalhada incompetente' que vinha da quinta fileira. E está certo, está certo — só Deus sabe como é deprimente. Eu não estou dizendo que não é. Mas isso não é problema teu, no fundo. Isso não é problema teu, Franny. A única preocupação do artista é mirar em alguma espécie de perfeição, e *nos seus próprios termos*, não nos dos outros. Você não tem direito de pensar nessas coisas, eu te juro. Não de alguma maneira real, pelo menos. Você sabe do que eu estou falando?"

Houve um silêncio. Os dois deixaram o silêncio transcorrer sem nenhuma mostra de impaciência ou constrangimento. Franny ainda parecia ter alguma dor considerável num lado do rosto, e continuava com a mão ali, mas sua expressão era marcadamente isenta de reclamações.

A voz do outro lado surgiu de novo. "Eu lembro da quinta vez que fui no *Sábia Criança*. Eu fui o substituto do Walt umas vezes quando ele estava no elenco — lembra quando ele estava lá no elenco? Enfim, eu comecei a resmungar na noite da véspera da transmissão. O Seymour tinha dito pra eu ir engraxar meu sapato bem quando eu ia saindo pela porta com o Waker. Eu fiquei furioso. A plateia ali no estúdio era só um bando de imbecis, o locutor era um imbecil, os patrocinadores eram imbecis, e nem a pau que eu ia engraxar meu sapato pra eles, eu disse pro Seymour. Eu disse que eles *nem* enxergavam os sapatos mesmo, lá onde a gente ficava sentado. Ele mandou engraxar mesmo assim. Mandou engraxar pela Gorda. Eu não sabia de que diabo ele estava falando, mas ele estava com uma cara muito de Seymour, e eu fui engraxar. Ele nunca me contou quem era a Gorda, mas eu engraxava meu sapato por causa da Gorda toda vez que eu voltava ao ar — naqueles anos todos em que eu e você ficamos juntos no programa, se você lembra. Acho que foi só uma ou outra vez que eu deixei de engraxar. Uma imagem terrivelmente nítida, mas nítida mesmo, dessa Gorda foi se formando na minha cabeça. Pra mim ela ficava sentada o dia todo na varanda, matando mosca, com o rádio no último volume desde cedo até de noite. Eu imaginava que o calor era terrível, e que ela provavelmente tinha câncer, e — sei lá. Enfim, ficou claro pra cacete o motivo do Seymour querer que eu engraxasse meu sapato quando entrava no ar. Aquilo fazia *sentido*."

Franny estava de pé. Ela tinha tirado a mão do rosto para segurar o telefone com as duas mãos. "Ele me disse isso também", ela falou no telefone. "Ele me disse pra ser engraçada pra Gorda, uma vez." Soltou uma das mãos do telefone e a colocou, muito brevemente, no topo da cabeça, então voltou a segurar o telefone com as duas mãos. "Eu nunca imaginei ela numa varanda, mas com umas — sabe —, com umas pernas bem grossas, bem cheias de veias. Eu pensava nela numa cadeira de palha horro*rosa*. Mas ela tinha câncer, *também*, e deixava o rádio no último volume o dia inteiro! A minha também!"

"Isso. Isso. Isso. Tudo bem. Deixa eu te contar uma coisa agora, minha filha... Você está me ouvindo?"

Franny, com uma cara extremamente tensa, fez que sim.

"Eu não ligo onde um ator trabalha. Pode ser no teatro de repertório nas férias, pode ser no rádio, pode ser na televi*são*, pode ser numa porcaria de uma peça da Broadway, com tudo que você possa imaginar, inclusive a plateia mais elegante, mais bem alimentada, mais bronzeada do mundo. Mas eu vou te contar um segredo terrível — você está me escutando? *Não existe uma única pessoa lá que não seja a Gorda do Seymour*. Isso inclui o professor Tupper, minha filha. E seu nome é legião. Não existe uma única pessoa em lugar *algum* que não seja a Gorda do Seymour. Você não sabia? Você ainda não sabia da porcaria desse segredo? E você não sabia — agora me *escute* —, *você não sabia quem a Gorda é na verdade?*... Ah, minha filha. Ah, minha filha. É o Próprio Cristo. O Próprio Cristo, minha filha."

De alegria, aparentemente, Franny mal conseguia segurar o telefone, nem com as duas mãos.

Por meio minuto inteiro mais ou menos, não houve mais palavras, não houve falas. Então: "Eu não posso mais falar, minha filha". O som de um telefone sendo recolocado no gancho veio a seguir.

Franny prendeu de leve a respiração, mas continuou segurando o telefone contra a orelha. O sinal da linha, claro, veio depois do rompimento formal da conexão. Ela pareceu achar aquele som extraordinariamente lindo, como se ele fosse o melhor substituto possível para o próprio silêncio primordial. Mas pareceu saber também quando parar de ficar ouvindo aquele som, como se toda pouca ou muita sabedoria que há no mundo fosse subitamente dela. Quando desligou o telefone, parecia saber exatamente o que fazer em seguida também. Recolheu as coisas de fumar, então afastou a colcha de algodão da cama onde tinha estado sentada, tirou os chinelos, e entrou na cama. Por alguns minutos, antes de cair num sono profundo e sem sonhos, ela só ficou quieta, sorrindo para o teto.

Franny & Zooey © J. D. Salinger, 1955, 1957, 1961.
© J. D. Salinger, renovado em 1989.
Direitos da língua portuguesa no e para o Brasil mediante acordo com J. D. Salinger Literary Trust.

Todos os direitos desta edição reservados à Todavia.

Grafia atualizada segundo o Acordo Ortográfico da Língua Portuguesa de 1990, que entrou em vigor no Brasil em 2009.

capa
Pedro Inoue
preparação
Márcia Copola
revisão
Ana Alvares
Jane Pessoa

2ª reimpressão, 2022

Dados Internacionais de Catalogação na Publicação (CIP)

Salinger, Jerome David (1919-2010)
Franny & Zooey / Jerome David Salinger ; tradução Caetano W. Galindo. — 1. ed. — São Paulo : Todavia, 2019.

ISBN 978-65-80309-63-4

1. Literatura americana. 2. Novela. 3. Coletânea. 4. Romance. I. Galindo, Caetano W. II. Título.

CDD 813

Índice para catálogo sistemático:
1. Literatura americana : Romance 813

Bruna Heller — Bibliotecária — CRB 10/2348

todavia
Rua Luís Anhaia, 44
05433.020 São Paulo SP
T. 55 11. 3094 0500
www.todavialivros.com.br

fonte
Register*
papel
Pólen natural 80 g/m²
impressão
Geográfica